인생 산책자를 위한

밤과낮 에디션 1

# 왜 달빛을 받으며 잠시 걸어보지 않았을까

인생 산책자를 위한

밤과낮 에디션 1


# 왜 달빛을 받으며 잠시 걸어보지 않았을까


F. 스콧 피츠제럴드 외 지음

강문희 김영글 정인혜 옮김


꽃
피는
책

일러두기

1. 이 책에 실린 작품들은 모두 저작권이 해제된 작품으로 강문희, 김영글, 정인혜 세 역자가 각기 일본어권, 유럽어권, 영미권 작품을 맡아 우리말로 옮겼다.
2. 원주는 • 표시와 함께 '원주'라 표기했다. 역자 주와 편집자 주는 번호로 표시했으며, 역자 주에는 '옮긴이'라 표기했다.
3. 수록된 글의 원제와 최초 발표일은 각 글 말미에 표기했으며, 참고한 원문 출처는 출처 목록에 실었다.
4. 맞춤법과 외래어 표기는 국립국어원의 한글 맞춤법 규정에 따랐으나 이미 굳어진 인명 및 몇 가지 외래어에 한해서는 예외로 했다.

들어가는 글

어둠과 빛 속에서

해가 지면 세상은 어둠에 잠긴다. 이튿날 동이 트면 다시금 밝아진다. 어둠과 빛이 번갈아 나타나는 이 현상을 인류는 유사 이전의 시대부터 관찰했을 것이다. 거기에 이름을 붙인 건 한참 뒤의 일일 터. 밤과 낮은 지구가 태양 주위를 돈다는 자명한 사실로 인해 생겨난다. 극지방을 제외한 대부분 지역에서 이 밤과 낮은 일정하게 반복되고, 사람들은 그 반복에 따라 잠자고 깨고 밥 먹고 일하며 삶을 살아간다.

꽃피는책의 '인생 산책자를 위한 밤과낮 에디션'은 세

계 문학사에 거대한 발자취를 남긴 작가들의 산문을 두 권에 나눠 엮은 책이다. 밤과 낮은 하루의 시간을 반으로 가르는 과학적 구분이지만, 우리 삶을 구성하고, 지배하고, 이끌고, 관통하는 여러 주제를 그 온도와 명암에 따라 가르는 정서적 구분이기도 하다. 불면, 고독, 상실, 죽음 등은 밤의 영역으로, 자연, 사랑, 가족, 반려 등은 낮의 영역으로 바라보는 것처럼 말이다. 그리고 이렇게 나뉜 두 개의 시간, 두 가지 주제들은 빛과 그림자처럼, 동전의 앞뒷면처럼 원래 한 쌍이기에 단면으로는 존재할 수 없는 삶을, 그 삶이 이뤄지는 시공간을 은유한다.

'인생 산책자를 위한 밤과낮 에디션'에는 여러 시대와 여러 나라의 작품이 수록되어 있다. 강문희, 김영글, 정인혜 세 사람이 각기 일본어권, 유럽어권, 영미권 작품을 맡아 옮겼다. 셋 모두 번역 일에 오래 발 담그지는 않았지만, 문학이 내어주는 너른 품에 삶의 많은 시간을 기대고 살아온 이들이다. 옮긴이들은 작품 선별 과정부터 동참해 독자로서 좋아했던 작가의 문장을 새로운 시각으로 되짚어보는 시간을 가졌다.

번역 과정에서 여성이나 동물을 바라보는 구시대적 관

점이 엿보일 때는 고민이 깊어지기도 했다. 고전이라 불릴 만한 옛 작품을 대할 때면 으레 겪는 문제다. 현재의 시선에 비추어 과거의 표현을 수정하거나 삭제하는 것이 타당한지, 나아가 시대에 따른 가치관의 변화로 작품의 문학적 성취를 매번 새로이 평가하는 게 옳은지는 작품 밖에서 더 길고 더 깊게 논의해야 할 질문일 것이다. 우선은 시대적 한계로 받아들이고, 독자들이 작품 속에서 만나는 시차조차 자연스러운 시간의 흐름으로 읽어주기를 기대하기로 했다. 덧붙이면, 저작권 문제를 고려해 사망 시기가 1960년 이전인 작가로 목록을 추리다 보니 여성 작가의 작품을 많이 수록하지 못했는데, 못내 아쉬움으로 남는다.

시간이 이상할 정도로 훌쩍 흘러가 버리는 때가 있다. 방에 앉아 책을 읽다가, 주말에 좋아하는 무언가를 사부작사부작하며 붙들고 있다가 문득 그 사실을 깨닫곤 한다. 분명 낮이었는데 사위가 어두워 정신을 차려보면 밤이고, 밤이었는데 시간이 곧장 새벽녘으로 내달려 어느덧 창밖에 여명이 밝아 오는 것이다. 번역에 몰두하는 동안 오랜만에 그런 순간을 다시 만났다. 구획 지어진 삶의 틀에 맞춰 사느라 종종 잊어버리지만, 사실 밤과 낮은 이어져 있다. 행복한

글 읽기와 번역의 시간을 준 꽃피는책 출판사, 원고를 함께 살피며 알맞은 번역어를 찾도록 도와준 편집부와 기획에 동참해준 최해경 팀장님께 감사의 마음을 전한다.

    우리가 인생이라는 길고도 짧은 행로를 걷는 동안 빛과 어둠은 교대로 길을 비추고, 교대로 길을 감춘다. 영원한 낮도, 영원한 밤도 없기에 그 길은 걸어볼 만한 길이다. 그리고 좋은 문학 작품은 언제나 그 길의 훌륭한 동반자가 되어준다. 오래전 세상을 떠난 작가들이 남긴 문장에는 행간마다 진지한 사유의 흔적이 서려 있고, 삶을 바라보는 시선이 살아 꿈틀댄다. 때로는 시리도록 명징하고 때로는 봄볕처럼 따뜻한 그 사유와 시선에 감응하며 독자 여러분 각자의 인생 산책을 이어가기를, 그 시간에 충만함이 깃들기를 빈다.

2025년 5월
옮긴이들을 대신하여
김영글

차
례

들어가는 글  5

## 불면, 잠 못 이루는 밤을 위하여

| | | |
|---|---|---|
| F. 스콧 피츠제럴드 … | 수면과 불면 | 13 |
| 헤르만 헤세 … | 잠 못 이루는 밤 | 23 |
| 찰스 디킨스 … | 밤 산책 | 31 |
| 스튜어트 화이트 … | 밤에 깬 채 누워 | 49 |

## 죽음, 조금 천천히 안녕

| | | |
|---|---|---|
| 버지니아 울프 … | 나방의 죽음 | 59 |
| 나쓰메 소세키 … | 고양이 무덤 | 65 |
| 헨리 데이비드 소로 … | 어느 소나무의 죽음 | 71 |
| 데라다 도라히코 … | 도토리 | 75 |

## 산책, 시간을 물들이다

| | | |
|---|---|---|
| 헨리 데이비드 소로 … | 밤과 달빛 | 89 |
| 버지니아 울프 … | 거리 쏘다니기: 런던 모험기 | 106 |
| 어니스트 헤밍웨이 … | 센 강변 사람들 | 130 |
| 장 자크 루소 … | 두 번째 산책 | 137 |
| 조지 기싱 … | 새벽 단상 | 153 |
| 맥스 비어봄 … | 산책하러 나가기 | 158 |

## 쓰기, 한밤의 몽상가

조지 오웰 ⋯ 나는 왜 쓰는가     167
윌리엄 포크너 ⋯ 작가의 서문     182
알베르 카뮈 ⋯ 아몬드나무들     188
조지 기싱 ⋯ 나를 위한 글쓰기     194
버지니아 울프 ⋯ 여성의 직업     201


## 고독, 존재의 심연으로부터

페르난두 페소아 ⋯ 불안의 서 83     215
프란츠 카프카 ⋯ 턱시도     219
오스카 와일드 ⋯ 심연으로부터     226
시마자키 도손 ⋯ 세 방문객     235


작가 소개 243 | 원문 출처 252

불면,
잠 못 이루는
밤을 위하여

# 수면과 불면

F. 스콧 피츠제럴드

 몇 년 전 어니스트 헤밍웨이가 쓴 「이제 나를 누인다 Now I Lay Me」[1]를 읽곤 불면증이라면 덧붙일 말이 없겠다 생각했다. 이젠 안다, 내 경험이 너무 적었기 때문임을. 한낮에 품는 희망과 열망이 각기 다르듯 불면증도 사람마다 다르다.

 불면증이 삶의 일부처럼 자연스러운 것이 되려면, 그

---

[1] 1927년 출간된 헤밍웨이의 소설집 『여자 없는 남자들 Men Without Women』에 실린 단편 소설이다.

증상은 삼십대 후반부터 나타나기 시작한다. 귀한 일곱 시간이 갑자기 둘로 쪼개진다. 운이 좋다면 '밤의 첫 달콤한 잠'[2]과 새벽 무렵 드는 깊은 잠으로 나뉜다. 하지만 불행히도, 그 간격은 점점 벌어진다. "진리가 너를 방패로 두를지니, 너는 밤의 공포와 낮에 날아다니는 화살과 어둠 속에서 방황하는 재앙을 두려워하지 아니하리라."[3] 시편에도 쓰여 있는 그 시간이 되고 마는 것이다.

내가 아는 한 친구는 생쥐 한 마리 때문이었다는데, 내 경우는 모기 한 마리다.

친구는 홀로 시골집을 정리 중이었다. 지친 하루 끝에 보니 쓸 만한 침대는 아이용 침대(길이는 충분하나 너비는 요람 정도에 불과한)밖에 없었다. 침대 위에 털썩 누운 그는 이내 깊은 잠에 빠져들었다. 한쪽 팔은 어쩔 수 없이 침대 밖으로 뻗어 나온 채였다. 몇 시간 뒤, 친구는 무언가가 손가락을 콕콕 찌르는 듯한 느낌이 들어 잠에서 깼다. 그러

---

2 『프랑켄슈타인*Frankenstein; or, The Modern Prometheus*』을 쓴 메리 셸리(Mary Wollstonecraft Shelley, 1797~1851. 영국의 시인, 소설가)의 남편인 퍼시 비시 셸리(Percy Bysshe Shelley, 1792~1822. 영국의 시인)의 시 「인도 소야곡The Indian Serenade」의 한 구절이다.

3 시편 91장 5절이다. – 옮긴이

곧 팔을 옮기고 다시 잠들었는데, 같은 느낌에 곧 다시 깨어났다.

이번에는 머리맡 등을 켰다. 피 나는 손가락 끝에 안달 난 생쥐 한 마리가 붙어 있었다. 친구 말로는 '감탄사 정도를 내뱉었다' 하는데, 아마도 미친 듯 비명을 질렀을 것이다.

생쥐는 사라졌다. 그저 잠에 빠져 있었다면 아마도 생쥐에게 전부 갉아 먹혔을 것이다. 친구는 그때부터 계속 위협을 느꼈다. 피해자는 너무나 지친 상태로 몸을 떨며 앉아 있어야 했고, 침대에 딱 맞는 우리를 만들어 그 안에서 남은 평생을 자면 어떨까 하는 생각까지 했다. 하지만 밤이 너무 깊어 우리를 만들 수는 없었기에 결국 그대로 눈을 붙여야 했으며, 피리 부는 사나이가 되어 쥐들에게 쫓기는 꿈을 꾸다 간헐적으로 공포에 떨며 깨어나야 했다.

이후 친구는 개나 고양이를 방에 두지 않고는 잠들 수 없게 되었다.

내가 그런 한밤의 불운을 경험한 때는 극도로 지친 상태였다. 일이 이미 너무 많았음에도, 고통은 결코 홀로 오지 않는다는 오래된 말처럼 고단함과 병이 맞물리면서 해야 할 일이 두 배가 된 상황이었다. 그러니 아, 그 투쟁의 끝을 장식할 잠을 얼마나 기대했겠는가. 구름처럼 부드럽고 무덤처럼 영원할 침대 속 그 휴식 말이다. 설령 그레타 가르보Greta Garbo가 둘만의 저녁 식사에 초대했다 해도 무심했을 정도였다.

하지만 그런 초대가 있었더라면 응하는 편이 나았을 것이다. 대신 혼자서 식사를 했으니. 아니, 혼자인 모기에 식사를 당했으니 말이다.

놀랍게도 모기 한 무리보다 한 마리가 더 끔찍할 수 있다. 떼를 지어 공격하면 대비라도 할 텐데, 한 마리는 마치 누군가를 죽음에 이르게 하기 위해 혐오스럽고 사악한 싸움을 걸어오는 존재처럼 느껴진다. 구월, 뉴욕에 자리한 20층 호텔 방 안에 홀연히, 아르마딜로가 나타난 듯 난데없이 그것은 나타났다. 뉴저지주가 습지 배수 시설 예산을 줄이자 어린 모기들이 먹을 걸 찾아 근처 주로 옮겨온 결과였다.

첫 만남 이후 허공을 가르며 엇나가는 손바닥과 헛된 수색이 이어지다 결국엔 찰나의 간격으로 늦어 애꿎은 내 귓등만 벌을 받자, 더운 밤이었음에도 나는 오래된 격률에 따라 시트를 머리 위로 끌어올렸다.

그리고 이어진 익숙한 이야기. 시트 뚫고 물기, 시트를 잡고 있는 삐져나온 손 저격하기, 숨이 막히도록 담요 끌어올리기, 그런 와중 뒤따른 심리적 변화에 점점 각성해서는 이성을 잃은 무력한 분노로 두 번째 사냥 개시하기.

그렇게 접어든 광란의 시간. 스탠드 등을 횃불 삼아 침대 밑을 기고, 끝내 천장에서 그 곤충의 퇴각을 탐지해 매듭진 수건으로 공격하며 돌아다니고, (세상에!) 그러다 결국 나만 부상을 입고. 이어진 짧은, 적도 알아챌 만한 회복기 후, 건방지게 내 머리 주위에 걸터앉은 걸 봤지만, 또 놓치기.

신경을 곤두세운 채 극도로 조심하며 삼십 분쯤을 더 보내고서야 결국 무용한 승리가 찾아왔다. 침대 헤드보드에 짓이겨진 작은 핏자국, 내 피만 남긴 채.

말했듯, 이 년 전 그 밤이 불면의 시작이었다. 그때 처음, 아주 작고 헤아릴 수조차 없는 어떤 것 하나가 잠을 망칠 수 있음을 나는 알게 됐다. 이제는 낡아버린 말로 표현하면, '수면에 민감'해진 것이다. 나는 잠이 나를 허용할지 아닐지 걱정했다. 나는 가끔, 하지만 한번 마시면 꽤 많이 마시는데, 술을 마시지 않는 밤이면 잠들기 한참 전부터 잠들 수 있느냐 없느냐의 문제가 내 머릿속을 채우기 시작했다.

전형적인 밤은(이런 밤을 모두 과거 일인 양 이야기할 수 있으면 좋겠다) 유독 별 움직임 없이 앉아 일하며 담배로 하루를 보낸 날 찾아온다. 조금의 휴식 시간도 없이, 잠자리에 들 때 일을 마친 그런 밤 말이다. 준비는 다 되어 있다. 책, 물 한 잔, 땀에 흠뻑 젖을 때를 대비한 여벌의 잠옷, 둥근 통에 든 루미놀, 그럴듯한 밤 어구가 떠오를 때를 대비한 공책과 연필(쓸 일은 별로 없다. 아침이면 밤의 강렬함과 절박함이 사라져 초라해 보이기 마련이니까).

잠자리에 든다. 으레 나이트캡Nightcap 한 잔은 마실 것이다. 가끔 학술적인 주제를 다룰 일도 있기에 그와 관련한 다소 가벼운 책을 골라선 마지막 담배와 함께 졸릴 때까지 읽는다. 하품이 나오는 순간 책은 책갈피를 꽂아 덮고, 담배는 벽난로에 던져버리고 등을 끈다. 처음에는, 그렇게 누우면 심장 박동을 늦출 수 있다고 들어, 왼쪽으로 눕는다. 그러곤 곧 혼수상태에 빠진다.

지금까지는 좋다. 자정부터 두 시 반까지는 방 안이 평화롭다. 그런데 갑자기 깬다. 아파서든, 신체 기능에 문제가 생겨서든, 몹시 생생한 꿈을 꾸어서든, 덥거나 추워지는 날씨 변화 때문이든.

수면이 계속되리라는 헛된 희망과 함께 재빨리 바로잡으려 애써보지만, 안 된다. 한숨을 쉬며 등불을 켜고, 루미놀 작은 알을 하나 삼키고, 다시 책을 펼친다. 진짜 밤, 가장 어두운 시간의 시작이다. 한잔 마셔야 책을 읽을 수 있을 정도로 피곤한데 그러면 다음 날이 힘들 터, 일어나 걷기로 한다. 침실에서 복도를 지나 서재로 왔다 갔다 서성인다. 여름이었다면 뒤쪽 현관으로 나갔을 텐데. 볼티모어에는 옅은 안개가 내려앉아 첨탑도 보이지 않는다. 다시 서재로 가니 끝내지 못한 일들(편지, 교정쇄, 메모 등등)이 눈길을 잡는다. 그리로 가려다, 안 되지! 그럼 돌이킬 수 없을 거야. 그즈음 루미놀이 조금씩 효과를 발휘해 다시 잠을 청해본다. 이번엔 베개를 반쯤 돌려 목 가장자리에 댄다.

"옛날 옛적에,"(내게 속삭인다.) "쿼터백을 구하는데 마땅한 사람이 없던 프린스턴은 절망에 빠져 있었지. 필드 한쪽에서 공을 차고 패스하던 날 본 수석코치가 외쳤어. '저기 저, 전에 본 적 없던 쟨 누구지?' 코치가 '아직 출전 경험이 없는 애예요'라고 대답하자 수석코치는 '저 친구를 이리 데려와'라고 말했지. 우린 예일과 붙었어. 나는 겨우 61킬로그램 정도밖에 안 나가 3쿼터까지는 자리를 지키고 기다려야 했지. 그리고 점수가……."

하지만 소용없다. 지난 이십 년간 잠을 위해 그 좌절된 꿈을 써먹다 보니 이제는 닳고 닳아 더는 기댈 수가 없게 된 것이다. 조금 수월한 밤에는 그나마 도움이 되지만.

그렇다면 이번엔 전쟁 꿈이다. 일본군이 전역에서 승

리한다. 사단은 뿔뿔이 흩어져 내가 속속들이 잘 아는 미네소타 어딘가에서 방어만 하고 있다. 그런데 대대장들이 사령부 회의를 하다 한 방에 전멸한다. 지휘권은 피츠제럴드 대위에게 넘어가고, 그는 멋진 모습으로……

여기서 그만. 이 이야기 역시 오랜 세월 닳고 닳았다. 내 이름을 품은 그 캐릭터도 흐릿해져 버렸다. 나는 그저 한밤중 검은 버스를 타고 미지의 세계로 향하는 음울한 수백만 명 중 하나일 뿐이다.

다시 돌아와, 결국 뒤쪽 현관으로 향한다. 극심한 정신적 피로에 신경이 빼딱하니 예민해진 상태에서 (줄이 끊어진 채 요동치는 바이올린 위에 얹힌 활 같다) 지붕 너머로 진짜 공포가 등장하는 걸 본다. 야간 택시의 거슬리는 경적과 길 건너 술꾼들이 부르는 날카롭고 처량한 노랫소리 속에서 말이다. 공포이자 폐허.

폐허이자 공포. 내가 될 수도, 할 수도 있었을 것들. 잃어버린, 흘려보낸, 떠나버린, 낭비한, 되찾을 수 없는 것들. 그리할 수 있었을 텐데, 참을 수 있었을 텐데, 소심하지 않고 대범할 수 있었을 텐데, 성급하지 않고 조심스러울 수 있었을 텐데.

그녀에게 그렇게 상처를 줘서는 안 됐어.

그에게 그렇게 말해서도 안 됐지.

부러뜨릴 수 없는 걸 부러뜨리려다 스스로 부러질 필요도.

공포는, 이제 폭풍처럼 몰려온다. 이 밤이 죽음 이후의 밤을 미리 보여주는 것이라면, 비열하고 악랄한 각자의 모든 부분이 세상의 비열함과 악랄함 앞으로 떠밀려가고 심연의 가장자리에서 영원히 떨어야 하는 것만 남은 것이라면 어찌할 것인가. 선택의 여지도 길도 희망도 없이 추악하고 비극 같은 것만 끝없이 반복될 뿐이라면, 그도 아니면 생의 문지방 위에 서서 영원히 건너지도 돌아서지도 못하는 걸지 모르는 거라면. 시계가 네 시를 알리는 지금, 나는 유령이다.

침대 한켠서 두 손 위에 머리를 누인다. 그러고는 고요함, 그러다간 갑자기, (돌이켜보니 그렇게 느껴진 걸까?) 갑자기 잠이 든다.

잠, 진짜 잠, 소중한 것, 아끼는 것, 자장가. 침대와 베개가 아주 깊고 따뜻하게 나를 감싸 평화 속으로 이끈다. 아무것도 없는 그곳으로. 어두운 시간의 카타르시스가 지나간 이제, 나는 젊고 사랑스럽게 행동하는 젊고 사랑스러운 사람들이, 한때 알았던 갈색빛 큰 눈에 진짜 금발을 가진 소녀들이 등장하는 꿈을 꾼다.

>1916년 서늘한 가을 오후
>하얀 달 아래서 캐롤라인을 만났지
>오케스트라 이름은 빙고 뱅고
>들려준 음악은 춤곡 탱고
>우리가 일어나자 사람들 모두는 박수를 쳤네
>그녀의 귀여운 얼굴과 내 새 옷을 향해[4]

인생은 결국 그런 것이었다. 내 영혼은 그 잊혀진 순간 속으로 치솟다 베개 속으로 깊이, 깊이 내려간다.

"……그래요. 에시, 알겠어요. 세상에…… 괜찮아요……. 전화는 내가 받을게요."

저항할 수 없는, 무지갯빛 오로라다. 또 다른 하루다.

Sleeping and Waking, 1934

---

[4] F. 스콧 피츠제럴드의 시 「천한 번째 배 Thousand and First Ship」의 일부다.

# 잠 못 이루는 밤

헤르만 헤세

거리는 조용하고 정원에선 이따금 바람이 나무를 흔드는 늦은 밤, 침대에 누워 잠을 이루지 못한다. 어디선가 개가 짖는다. 멀리서 마차가 달린다. 덜컹거리는 바퀴 소리에 귀를 기울이면 마차에 달린 스프링을 감지할 수 있다. 머릿속으로 마차를 따라간다. 모퉁이를 돈 마차는 갑자기 속력을 높이더니 돌연 무거운 정적 속으로 빠져든다. 뒤를 잇는 건 행인의 빠른 발소리. 텅 빈 거리에서 발소리는 유난히 크게 울린다. 행인은 멈춰서나 싶더니 문을 열고 들어간다. 또 한 번 무거운 정적. 작은 기척들이 다시 들려오다가는 차츰 뜸해지고 약해진다. 모두가 피곤한 시간, 희미한 바람 소리와 벽지 뒤 시멘트 반죽이 흘러내리는 미세한 소리까지도 커다랗게 들리는 시간이 오고, 온갖 감각이 곤두선다. 그리고, 잠이 오지 않는다.

피로가 얇은 베일처럼 눈과 뇌를 감싼다. 귓가엔 혈관이 날뛰는 소리가 들리고, 지끈거리는 머릿속에선 열병에 사로잡힌 생명의 가녀린 기척이 들린다. 일정하면서도 혼란스럽게 뛰는 맥박 소리가 감지된다. 몸을 뒤척여봐도, 일어났다 다시 누워봐도 소용없다. 혼자 힘으로는 결코 벗어날 수 없는 시간이다. 온갖 상념과 기억이 나를 지배하는데, 함께 물리쳐줄 동료가 지금은 없다.

객지에 사는 사람이라면 유년 시절을 보낸 고향집과 정원이 그려진다. 잊을 수 없을 만큼 자유로운 시절을 보낸 숲과 시끄럽게 뛰놀던 방과 층계도 보인다. 눈앞에 나타난 부모님의 초상은 낯설고, 엄하고, 늙어 보인다. 얼굴엔 사랑과 걱정, 그리고 한 줄기 서운함이 서려 있다. 손을 잡으려 뻗어보지만 커다란 슬픔과 외로움만 엄습할 뿐이다. 다른 사람들 모습도 떠올려본다. 하지만 이처럼 답답하고 우울한 분위기에서는 누구를 떠올리건 슬퍼질 뿐이다.

젊은 시절 사랑을 거절당하거나 선의를 의심받아 힘든 날을 보내보지 않은 사람이 어디 있을까? 자신을 기다리는 행복을 아집과 오만으로 놓쳐보지 않은 사람 또한 어디 있을까? 타인이나 나를 무시하며 상처 입혀본 적 없는 사람, 어리석은 말을 내뱉거나 약속을 어기거나 함부로 행동해 친구를 괴롭혀본 적 없는 사람은? 이제 그들이 슬며시 눈앞에 나타나 아무 말 없이 나를 바라본다. 그러면 그들에게, 그리고 나에게 너무나도 부끄러워지는 것이다.

생각해보면 하루 내 산만하게 움직이며 부산스럽게 보낸 날은 똑같은 침대에서도 편안하게 잠들곤 했다. 그러나 오늘 같은 날은 나 자신만을 과묵하고 진실한 동반자로 삼아온 지가 헤아릴 수 없이 오래되었다는 사실이 떠오른다. 그와 함께 낮 동안 보고 듣고 말하고 웃게 했던 그 모든 것이 마치 존재한 적 없는 듯 낯선 모습으로 멀어지고, 대신 어린 시절의 푸른 하늘과 잊은 지 오래인 고향의 풍경과 죽은 지 오래인 사람들의 목소리가 믿을 수 없을 만큼 가까이 있는 것이다.


잠은 자연이 주는 귀한 선물이다. 친구이자 피난처고 마술사이자 고요한 위안이다. 그래서 나는 오랜 시간 불면에 시달리면서도 새벽녘 토막잠으로 만족하는 법을 배운 사람에게 깊은 연민을 느낀다. 그러나, 잠 못 이루는 밤을 평생 단 한 번도 겪어본 적 없는 사람은 사랑할 수가 없다. 그런 사람은 천진난만한 영혼을 가진 애 같은 사람일 것이다.

빠르게 휘몰아치는 삶에서 영혼을 의식할 수 있는 순간은 놀랍도록 드물다. 감각과 지각이 뒤로 물러나고 영혼이 기억과 의식의 거울 앞에 모습을 드러내는 순간. 그것은 커다란 고통을 겪을 때, 어머니의 병상이나 관 앞에서, 혹은 길고 외로운 여행에서 돌아왔을 때 잠시 만날 수 있는 순간이다. 그러나 그때에도 늘 방해와 혼선이 일어난다. 잠 못 이루는 밤의 가치가 여기에 있다. 이때만은 영혼이 외부 세계와 격렬하게 부딪히지 않고도 놀라움이나 두려움, 판단이나 애도를 정확하게 드러낸다.

우리가 낮에 느끼는 감정은 결코 순수하지 않다. 오감은 맹렬히 끼어들고, 이성은 걸핏하면 비교하고 판단 내리고 가시 돋친 미묘한 농담으로 감정을 동요하게 만든다. 영혼은 멍하니 관망하며 며칠이고 몇 달이고 구속과 억압 속에 스스로를 방치한다. 그러다 자신의 시간이 오면, 즉 잠 못 이루는 밤이 오면, 족쇄를 벗어던지고는 의지 가득한 불굴의 형상으로 우릴 놀라게 하는 것이다.

헤르만 헤세

삶은 단지 형식에 불과한 것이 아니며, 우리 안에는 외부의 어떠한 영향에도 변하거나 흔들리지 않을 힘이 있다는 사실, 누구도 그 내면의 목소리는 통제할 수 없다는 사실을 이따금 되새길 필요가 있다. 정직한 사람, 어떤 종류든 믿음을 지닌 사람은 이 목소리에 기꺼이 귀 기울이고는 한결 깊어진 시선으로 영혼의 시간에서 빠져나온다.

불면에 시달리는 사람이라면 누구나 알고 있어 쓸모없는 얘기일 수 있지만, 질병으로서의 불면에 대해서도 말하고 싶다. 알고는 있더라도 흔히 꺼내는 대화 주제가 아닌 데다 글로나마 읽길 원하는 사람도 있을 것이기에. 내가 말하려는 건 불면이 주는 내면의 가르침이다. 모든 질병은 기다림과 함께, 오해의 여지가 없는 명백한 스승이다. 신경과민이 주는 가르침은 특히나 놀랍다. 말과 행동거지가 유난히 조심스러운 사람을 보면 흔히 "힘든 일을 많이 겪었나 봐"라고 말한다.

이처럼 불면은 신체와 생각을 통제하는 방법을 누구보다 잘 가르치는 스승이다. 타인을 소중히 여기고 부드럽게 대하는 일은 그것을 필요로 하는 사람이 가장 잘 해낼 수 있다. 냉혹한 침묵 속에서, 어떠한 방해도 받지 않고 생각에 잠길 수 있는 고독의 시간을 가져본 사람만이 온화하고 애정 어린 시선으로 사물을 가늠하고 영혼의 바닥을 응시하며 인간이라는 존재의 약점을 너그러이 이해할 수 있다. 뜬눈으로 숱한 밤을 지새우는 사람을 낮에도 어렵지 않게 알아볼 수 있는 건 그 때문이다.

다른 맥락에서도 면밀히 살펴볼 필요가 있겠지만, 불면의 교육적 가치를 하나만 더 언급하고 싶다. 불면은 경외심을 가르쳐준다. 모든 존재를 경외하는 마음. 그 마음은 어떤 보잘것없는 삶에도 깊고 향기로운 정취를 더해줄 수 있다. 그 마음은 위대한 시와 예술에 가장 필요한 조건이기도 하다.

잠 못 이루는 한 사람이 침대에 누워 있다고 상상해보자. 시간은 끔찍하리만치 조용하고 느리게 흘러간다. 종이 울린다. 한 시간 뒤 다시 울린다. 그사이엔 한없이 넓고 어두운 심연이 있다. 생쥐가 달려가는 소리, 마차가 굴러가는 소리, 시계 초침 소리, 샘물 소리, 바람 소리, 삐걱대는 가구 소리. 아, 이 소리들을 얼마나 자주 들었던가? 평소에는 신경도 쓰지 않던 소리들이지만, 지금, 이 쥐 죽은 듯한 정적과 고독 속에서는 무심코 스쳐 지나던 일상의 숨결 하나마

저 간절히 그립다.

　마차 소리가 들려오면 할 거리가 생긴다. 마차의 무게와 구조, 말의 피로도와 체력을 가늠해본다. 그리고 마차가 어느 거리를 지나고 있는지, 곧 어떤 모퉁이를 돌지 짐작해본다. 분수에서 흐르는 물줄기 소리도 들린다. 그러면 잔잔한 음악을 듣듯 물소릴 들어본다. 외로운 환자가 바깥세상의 공기와 건강한 기운을 전해주는 친구의 재잘거림에 귀를 기울이듯 감사한 마음으로. 물이 가득 찬 수조 위로 물줄기가 점점 더 세차게 쏟아져 내리고 수면은 점점 더 부드럽게 일렁인다. 끊임없이 들려오는 소리에 귀를 기울이다 보면 어느새 박자에 맞춰 콧노래를 흥얼거리게 된다. 그러다 다시 침묵이 찾아오면, 다시 귀 기울이기를 반복한다.

　물은 흐르고 흘러 개울과 강을 거쳐 바다가 된다. 그 여정을 꿈꾸듯 그리며 우리는 성장과 노력과 새로움의 영원한 시원으로 돌아간다. 그와 함께 지금껏 삶에선 불가해하고 혼란스럽기만 했던 관계와 법칙들이 불현듯, 영혼의 직물이 떠지듯 분명하게 우리 앞에 드러난다. 분수에서 들려오는 물소리를 듣다 세상 모든 것이 연결되어 있음에 감탄하고 삶의 마지막 비밀이 베일을 벗는 모습을 보며 경외심을 느끼는 것이다. 잠 못 이루는 밤, 우리는 그토록 사려 깊고 진지하고 끈기 있어진다.

    잠 못 이루는 사람들은 이렇게 고난으로부터 미덕을 만들어낸다. 나는 그들이 고통을 잘 견뎌내기를, 할 수만 있다면 치유되기를 빈다. 그러나 경솔하게 건강을 떠벌리며 피상적인 삶에 안주하는 사람들을 위해서는 다른 것을 빈다. 잠들지 못한 채, 침묵 속에 누워, 적나라하게 드러난 내면의 삶과 마주하는 밤을 부디 한 번이라도 경험할 수 있기를.

Schlaflose Nächte, 1905

# 밤 산책

찰스 디킨스

몇 년 전, 고통스러운 느낌 탓에 한동안 잠을 못 이뤄 밤이면 내내 거리를 걸었다. 의기소침하게 침대에 누워 실험을 진행했더라면 어려움을 극복하는 데 꽤나 시간이 걸렸을 것이다. 하지만 누웠다가도 곧바로 일어나 밖으로 나가서는 동이 틀 때야 지쳐 돌아오는 이 능동적 치료 덕에 장애는 곧 나가떨어졌다.

 그 밤들을 거치며 나는 아마추어적으로나마 노숙인 체험 교육을 마쳤다. 그저 밤을 지나 보내겠다는 목표를 쫓다 보니 매일 밤을 별다른 목적 없이 지새는 사람들과 동료 의

식도 느낄 수 있었다.

    삼월이었고, 습하고 흐리고 추운 날씨였다. 새벽 다섯 시 반이 돼야 해가 뜨니, 열두 시 반부터 따져도 밤은 충분히 길었다. 내가 맞서야 하는 그 시간 말이다.

    쉴 새 없는 분주함과 함께 대도시의 잠들기 전 어수선하고 요동치는 모습은 우리 노숙인이 주시하는 첫 번째 즐거움이었다. 그 즐거움은 두 시간 정도 이어졌다. 늦은 시각 술집에 불이 꺼지고 술집 주인이 떠들썩한 최후의 술꾼 무리를 거리로 내몰 때면, 우리는 그 많은 동반자를 잃었다. 그 뒤로 길 잃은 마차와 길 잃은 사람들이 우리를 떠났다. 운이 아주 좋으면 경찰의 딸랑이 소리가 튀어나오고 싸움이 벌어졌지만, 놀랍게도 이런 돌발은 거의 일어나지 않았다. 런던 최악의 지역인 헤이마켓이나 켄트 거리 주변, 올드 켄트 로드에 걸친 일부를 빼면 폭력적으로 평화가 깨지는 경우는 좀처럼 없었다. 그렇긴 해도, 제 안에 사는 사람들의 뒤척임을 따라 하듯, 런던도 늘 정적을 멈추고 어수선해졌다. 사방이 고요하다 싶다가도 마차 한 대가 덜커덩거리며 지나가면 대여섯은 기어코 그 뒤를 쫓았다. 심지어 우리 노숙인은 취한 사람들이 서로에게 자석처럼 이끌리는 게 보였고, 그렇기에 취객이 닫힌 가게 문에 기대 비틀거리는 걸 보면 오분도 안 돼 다른 누군가가 비틀거리며 다가와선 서로 친해지거나 싸우거나 할 것임을 알았다. 그런 술꾼들, 예의 팔뚝은 비쩍 마르고 얼굴은 부어오른 데다 입술은 잿빛인 술꾼들에게서 벗어나 좀 더 외양을 갖춘 보기 드문 혈통과 맞닥뜨리기라도 할라치면, 오십 명 중 한 명은 더러운 상복 차림이었다. 그렇게 밤거리의 경험은 낮거리와 다르지 않았다. 적게나마 생각지도 않은 유산을 물려받은 평범한 사람이 생각지도 않게 술까지 물려받을 뿐.

끝내 깜박이던 이런 불꽃들(특히, 늦도록 일한 파이 장수나 뜨거운 감자 장수[1]가 뿜어내던 것은 깨어 있는 삶의 마지막 진짜 불꽃이다)마저 점점 스러져 사라지면, 런던도 잠이 들었다. 그러면 노숙인의 열망은 동반자가 있음을 알려주는 표식으로 향했다. 불이 켜진 곳이나 움직임이 있는 곳을 찾아, 누구라도 일어나 있음을 아니 그저 깨어라도 있음을 알려주는 창 안쪽 빛을 찾아 헤매기 시작하는 것이다.

그러나 떨어지는 빗속에서 거리를 걸으면, 걷고 걷고 걸어도 노숙인의 눈에는 끝없이 뒤엉킨 거리 말고는 아무

---

1 'hot-potato man'은 빅토리아 시대, 주로 아이들을 상대로 감자를 구워 팔던 상인을 일컫는다.

것도 보이지 않았다. 다만 모퉁이 여기저기서 대화를 나누는 이인조 경사 혹은 경위 정도가 보일 뿐이었다. 어떤 밤에는 (하지만 드물게) 몇 미터 앞 문간에서 밖을 엿보는 수상쩍은 머리를 발견했는데, 문간 그림자 안에 숨어 있으려 몸을 꼿꼿이 세우는 모양새를 보고는 사회에 도움이 되는 일은 딱히 하려는 의도가 없는 남자임을 노숙인은 알게 됐다. 어떤 매혹과 그 시간에 걸맞은 귀신 같은 고요함 속에서 노숙인과 이 신사는 머리부터 발끝까지 서로를 살피고는 아무 말도 없이 상대를 의심하며 헤어졌다. 똑, 똑, 똑. 창턱이나 갓돌에서 빗방울이 떨어지고, 파이프나 홈통에서 물보라가 튀면, 머잖아 노숙인의 그림자는 워털루 다리로 향하는 돌길 위에 드리워질 터였다. 그때 노숙인은 통행료 징수원에게 '굿 나잇' 인사를 전하며 그가 든 등불을 곁눈질하는 게 반 페니의 가치는 있다고 내심 여길 터였다. 또한 멋진 등불과 근사한 코트, 질 좋은 울 목도리가 징수원과 어울려 마음이 편할 것이고, 밤의 모든 슬픈 상념을 거부하고 새벽이 오는 것 따윈 괘념치 않는다는 듯 철제 책상 위에서 잔돈을 딸그락거릴 때면, 징수원의 그 활기찬 불면은 노숙인의 훌륭한 동반자가 될 터였다.

다리가 음산해 초입에선 용기가 필요했다. 그 밤들은 아직 토막 난 시체가 밧줄에 묶여 다리 난간 아래로 내려지기 전이었다. 그러니까 시체는 그때까진 살아 조용히 잠을 자고 있었을 것이며, 자신에게 닥칠 일은 꿈에도 생각지 못했을 것이다. 하지만 강물은 끔찍하게 보였고, 강둑 위 건물들은 검은 수의에 덮여 있었으며, 수면에 반사된 빛은 자살한 유령들이 어디로 떨어졌는지 알려주기라도 하듯 물속 깊은 곳에서 시작된 것처럼 보였다. 거친 달과 구름은 무너진 침대에 누운 악한 양심처럼 연신 뒤척였고, 런던의 거대한 그림자는 강물 위를 억누르듯 드리워져 있었다.

다리와 두 대형 극장 사이는 고작 몇백 걸음 정도여서 극장들은 곧 나타났다. 죽 늘어선 얼굴들이 사라진 밤에는 불이 꺼지고 객석도 텅 비어 그 어둡고 음산하고 거대하고 메마른 우물 안은 상상만으로도 외로웠다. 그 시간, 요릭의 해골[2] 말고는 누구도 그곳의 진짜 모습을 짐작조차 못 할 것이다. 밤 산책을 하던 어떤 날, 교회 첨탑이 삼월의 비바람에 흔들리며 새벽 네 시를 알릴 때, 이 거대한 우물 안에 들어가 보았다. 손에 든 희미한 등불에 의지한 채 익숙한

---

2 셰익스피어의 『햄릿』 5막에서 언급되는 광대 요릭의 해골을 가리킨다.

길을 더듬어 무대로 올라간 나는 텅 빈 오케스트라석(그곳은 마치 역병이 돌던 시기에 파던 커다란 시체 구덩이처럼 보였다) 너머 공동空洞을 바라봤다. 샹들리에마저 꺼진 그 어마어마하고 음산한 동굴에서는 자욱한 안개에 모든 게 가려 수의가 덮인 객석 말곤 아무것도 보이지 않았다. 지난번 왔을 때 내가 발을 딛고 선 곳에서는 나폴리 농부들이 자신들을 덮칠 듯 무자비하게 불타는 산 중턱 나무 덩굴 사이에서 춤을 추었는데, 이제는 뱀 같은 불길이 일면 이내 날아들어 혀끝으로 찔러버릴 기세를 한 엔진 호스가 커다란 뱀처럼 똬리를 틀고 있었다. 한순간, 시신 곁에 두는 희미한 촛불을 든 야경꾼 유령이 멀리 위쪽 객석에 나타났다 사라졌다. 나는 무대 앞쪽으로 몸을 옮겨서는 머리 위로 등불을 올려 돌돌 말린 (더는 초록색이 아니라 흑단처럼 까만) 커튼을 비췄다. 하지만 돛과 밧줄이 있는 난파선의 희미한 윤곽만 어두운 천장에 보일 뿐이었다. 마치 바다 밑 잠수부가 된 기분이었다.

거리에 인기척이라고는 없는 짧은 몇 시간은 지나는 길에 뉴게이트 감옥에 들러 사색의 시간을 갖기 충분한 시간이었다. 나는 거친 돌을 만지며 안에 잠들어 있을 죄수들을 떠올렸고, 쇠살문 너머 경비실을 흘끔대다가는 교도관이

들고 있는 감시용 횃불이 흰 벽 위에 드리우는 모습도 볼 수 있었다. 그 시간은 많은 이들에게 '죽음의 문'이 된 작고 사악한 '채무자의 문(이 문은 다른 어떤 문보다 굳게 닫혀 있다)' 곁을 서성이기에도 부적절한 시간이 아니었다. 현혹된 시골 사람들이 1파운드짜리 위조지폐를 마구잡이로 유통하던 때, 여자 남자 할 것 없이 얼마나 많은 가여운 (그리고 대부분은 순진한) 사람들이 무자비하고 부조리한 세상으로부터 내던져졌던가! 게다가 그들 눈앞 저 너머엔 성묘 교회의 괴물 같은 탑이 있었으니! 이제쯤의 밤엔 후회에 찬 옛 은행가들의 영혼이 모여 앉은 은행 응접실이 있을지 궁금했다. 아니면 중앙 형사법원의 타락한 아수라장처럼 조용하려나?

좋았던 옛 시절을 그리워하고 악에 빠진 오늘을 한탄하다 보면, 쉽사리 뱅크 지역[3]으로 향하게 된다. 나도 그 길을 택해 노숙인 순회를 하며 그 안에 있을 부富를 떠올렸다. 그곳에서 밤을 보내고 있을 경비병들을 떠올리고는 횃불을 향해 고개를 끄덕이기도 했다. 그런 뒤엔 시장 사람들을 만날 기대를 품고 빌링스게이트로 향했다. 하지만

---

3  런던 중심가의 금융 지역을 말한다.

아직은 너무 이른 시각이었기에 런던 다리를 건너서는 거대한 양조장들을 양옆에 두고 서리 강가로 내려갔다. 양조장들은 무척 부산했다. 지독한 악취와 곡물 냄새, 짐마차를 끄는 말들이 여물통 앞에서 덜거덕거리는 소리는 훌륭한 동반자였다. 이런 좋은 무리에 섞여 생기를 되찾은 나는 새로운 마음이 생겨 오래된 킹스 벤치 감옥을 목적지로 정했고, 그곳 벽에 이르면 불쌍한 호레이스 킨치와 수감자들이 앓던 건부병을 생각하리라 다짐하곤 걸음을 옮겼다.

 인간 건부병이라는 아주 이상한 병은 그 시작을 알아채기 어렵다. 그 병이 호레이스 킨치를 킹스 벤치 감옥으로 가게 했고, 죽어 감옥을 나오게 했다. 그는 먹고살 만큼은 영리했고 친구들 사이에서도 인기가 많아 한창때는 그럴듯하게 잘사는 듯 보였다. 어울리는 상대와 결혼했고, 건강하고 귀여운 자식들도 두었다. 하지만 겉보기에 좋은 집이나 배가 종종 그렇듯, 그는 건부병에 걸렸다. 사람이 건부병에 걸리면 처음에는 살금살금 다니거나 어슬렁거리는 증상이 두드러지게 나타난다. 별다른 이유 없이 길모퉁이에 서 있고, 만날 때마다 어디론가 가고 있으며, 한곳에 머무르려 하지 않고, 실제적인 일은 하지 않으면서 내일이나 모레 해도 될 다양하고 사소한 일을 하려 들기도 한다. 이런 증상이 보일 때, 사람들은 대개 환자가 약간 힘겹게 산다는 인상을 막연하게나마 받는다. 하지만 환자의 외관 상태가 더 나빠졌음을 알아차릴 때쯤이면, 생각을 바꿔 건부병을 의심해볼 여유 따윈 이미 없어진 후다. 볼품없는 외양과 정신의 퇴보는 가난이나 불결 때문도, 중독이나 건강 악화 때문도 아닌 단지 건부병 때문이다. 처음엔 아침에만 독한 술 냄새를 풍기고 경제 관념이 허술해지다가 나중에는 항상 더 독한 술 냄새를 풍기고 모든 것에 대한 관념이 허술해진다. 그리고 결국엔 비몽사몽한 상태로 사지를 떨며 고통 속에서 바스러진다. 건부병에 걸린 나무처럼 사람도 그리 되는 것이다. 건부병은 고리대금 이자처럼 무지막지하게 불어난다. 널빤지 하나가 걸리면 곧 건물 전체로 퍼진다. 얼마 전 약간의 기부금 덕택에 묻힌 가여운 호레이스 킨치도 마찬가지였다. 그를 알던 사람들은 '저이는 바라는 대로 저리도 잘살고, 저리도 편안히 자릴 잡았구나. 하지만 건부병의 손끝에 떨고 있어!'라는 말조차 하지 못했다. 아! 이미 그는 온몸에 건부병이 번져 먼지가 되어가고 있었다.

    이런 뻔한 이야기들로 노숙인의 밤을 연상시키는 창문 없는 벽에서 빠져나와 나는 베들레헴 병원 옆을 어슬렁거리기로 했다. 병원이 웨스트민스터 사원으로 향하는 길에 있기도 했거니와 벽과 돔이 보이는 그곳에서 내 머릿속 밤 공상을 가장 잘 펼칠 수 있기 때문이었다. 공상은 이랬다. '제정신인 사람도 꿈을 꾸니 밤에는 제정신이나 제정신이 아니나 모두 같은 것 아닐까? 이 병원[4] 밖에 있는 우리도 매일 꿈을 꾸니 밤이면 병원 안에 있는 이들과 같은 상태인 것 아닌가? 그들이 낮에 그러듯, 우리는 터무니없게도 왕과 여왕, 황제와 황후, 그 밖의 온갖 유명인사들과 어울린다고 밤마다 생각하지 않던가? 그들이 낮에 그러듯 우리는 밤마다 온갖 사건과 사람을, 그리고 시간과 공간을 한데 뒤섞지 않던가? 그들이 깨어 있을 때 자신들의 망상을 설명하거나 변명하는 것처럼, 우리는 때로 불면증에 시달리는 이유를 설명하거나 변명하려 하며 부아를 내지 않던가?' 얼마 전 이곳 같은 병원에 갔을 때 괴로움에 처한 한 남자가 이런 말을 했다. "선생님, 전 종종 날아다녀요." 나는 밤에 그렇게 할 수 있는데, 하는 생각이 들어 조금 부끄러웠다. 같은 상황의 한 여인도 내게 말했다. "빅토리아 여왕님께서 자주 오셔서 저

---

[4] 런던에 있는 베들레헴 병원은 정신 병동을 갖춘 스페인의 그라나다 마리스탄 국립병원을 제외하면, 유럽 최초의 정신병원이다.

와 저녁을 드세요. 전하와 전 나이트가운을 입고 복숭아와 마카로니를 먹지요. 앨버트 전하께서 육군 원수 제복 차림으로 말을 타고 오셔선 합석하실 때도 있어요." 나 역시 (밤에) 내가 주최한 성대한 귀족 파티에서 일일이 헤아릴 수 없는 진수성찬을 차려놓고는 특별한 자리에 어울리는 양 젠체하던 걸 기억하는데, 어찌 얼굴이 벌게지지 않을 수 있었겠는가? 모든 걸 알고 있는 위대한 스승이 하루의 죽음을 잠[5]이라고 불렀을 때, 하루의 제정신이 제정신이 아니게 되는 걸 꿈이라고 부르진 않았을까 모르겠다.

 병원을 뒤로한 나는 다시 강 쪽으로 향했다. 그리고 잠깐 사이에 웨스트민스터 다리에 도착해선 국회의사당 건물 외벽을 노숙인의 눈으로 즐겼다. (나는 이곳이 거대 기관의 완성체임을 잘 알고 있으며, 주변 국가들의 존경을 받으며 대대손손 이어져 온 곳임도 의심하지 않지만, 주의 깊게 일하면 좀 더 나은 곳이 되지 않을까 싶기도 하다.) 올드 팰리스 야드[6]에 들어서자 치안법원이 먼저 십오 분쯤 동반자가 되어주었다. 낮게 수군거리는 소리로 그곳에 깨어 있는

---

5 셰익스피어의 『맥베스*Macbeth*』 2막 2장에 나오는 구절이다.
6 웨스트민스터 궁전과 웨스트민스터 사원 사이에 있는 공간을 부르는 말이다.

사람이 몇이나 되는지, 또 이들이 얼마나 적은 시간을 가엾고도 끔찍하게 불행한 탄원자들에게 내주는지 알 수 있었다. 다음, 역시 십오 분쯤을 적당히 우울한 동반자가 되어준 건 웨스트민스터 사원이었다. 이전 모든 세기보다 뒤따르는 세기에 더 놀라워하며, 각 세기는 어두운 아치와 기둥들 사이로 놀라운 죽음의 행렬을 보여주었다. 실제로 노숙인의 밤 산책은 이 유서 깊고 거대한 도시를 (경비원이 정해진 시각에 무덤 사이를 돌며 무덤을 만진 시각을 기록하는 장치의 확인 손잡이를 돌리는 공동묘지까지 포함해) 죽은 자들이 얼마나 차지하고 있을까 하는, 산 자들이 잠든 사이 죽은 자들이 일어난다면 모든 도로와 거리엔 산 자들이 발 디딜 공간이 바늘 끝만큼도 없을 거라는 침통한 생각을 하게 했다. 그뿐이겠는가? 죽은 자들의 거대한 부대가 도시 너머 언덕과 계곡을 넘쳐흘러선 도시 사방으로 뻗쳐나갈 것이고, 그 끝은 신만이 알 것이다.

한밤중 노숙인의 귀에 교회 시계 소리가 울리면 처음엔 동료인 줄 착각하고 환호한다. 하지만 울림이 원을 그리며 퍼져나가면, 그리고 (어떤 철학자[7]가 말했듯) 무한한 공

---

7  브레즈 파스칼을 가리키는 게 아닐까 싶다. 그의 유고집 『팡세*Pensées*』에

간에서 계속해서 넓어지면, 그땐 그 소리를 아주 분명하게 인식할 수 있게 되며, 실수는 바로잡히고 외로움은 깊어진다. 한번은 웨스트민스터 사원에서 나와 북쪽으로 향하는데, 세인트마틴 성당 앞 웅장한 계단에 다다랐을 때 세 시를 알리는 종소리가 울렸다. 그리고 갑자기 한 순간만 뒤였어도 미처 못 보고 밟았을 무언가가, 외로운 노숙인이 발치에서 비명을 지르며 몸을 일으켰다. 종소리에 놀랐나 본데 한 번도 들어본 적 없는 그런 비명이었다. 서로에게 놀란 우린 마주 선 채 얼굴만 쳐다봤다. 그 피조물은 눈썹이 짙고 입가에 수염이 난 이십대쯤의 청년이었는데, 몸에 걸친 헐렁한 누더기 넝마를 한 손으로 붙잡고 있었다. 그것은 머리부터 발끝까지 부들부들 떨며 이를 딱딱 맞부딪쳤고, 내가 박해자나 악마, 유령이라도 되는 듯 빤히 쳐다보며 겁먹은 개처럼 물기라도 할 듯 달려들었다. 난 그 추한 물체에 돈을 좀 주려 했고, 낑낑거리며 몸을 움츠리기에 손을 내밀어 그것의 어깨 위에 올렸다. 순간, 그것은 신약성서에 나오는 젊은이[8]처럼 몸을 비틀어 옷 밖으로 빠

> 는 다음과 같은 문장이 있다. "이 무한한 공간의 영원한 침묵이 나를 두렵게 한다."
>
> 8  마르코 복음 14장 51~52절에 등장하는 인물이다.

져 나오더니 떠나버렸고, 나는 누더기 넝마를 손에 든 채 홀로 남겨졌다.

장이 서는 날 아침엔 코벤트가든이 멋진 동반자였다. 양배추를 가득 실은 커다란 마차나 그 아래서 잠든 농부와 아이들은 물론 주변에서 시장 전체를 주시하다 등장하는 예민한 개들도 함께 어울릴 만했다. 하지만 이곳을 배회하는 아이들은 내가 아는 런던 최악의 밤 풍경이었다. 바구니 안에서 자고, 동물 내장을 차지하려 싸우며, 손이 닿아 훔칠 만하다 싶으면 달려들고, 마차와 수레 밑으로 뛰어들며, 순경을 피해 다니고, 비에 젖은 맨발로 포장된 광장 길을 끊임없이 후두두둑 뛰어다니는 아이들 말이다. 비참하고 억지스러운 결론으로 이어지지만, 애지중지 키워지는 대지의 열매에서 보이는 부패의 증가와 내버려진 (늘 쫓기는 것을 제외하고) 야만인들에게서 보이는 부패의 증가를 비교할 수밖에 없게 된다.

코벤트가든 시장에서는 아침 일찍 커피도 마실 수 있었다. 커피만으로도 좋은 동반자인데 따뜻하기까지 하니 더 좋았다. 꽤 그럴싸한 토스트도 구할 수 있었다. 비록 카페 안쪽에서 산발한 머리에 코트도 걸치지 않은 채 토스트를 만드는 사내는 너무 졸린 나머지 커피와 토스트를 내지 않아도 될 때면 칸막이 뒤로 가 숨 막힘과 코 골기의 복잡한 교차로에 빠져선 이내 제 갈 길을 잃곤 했지만 말이다. 보우가 근처 (이런 카페 중 가장 오래된 곳 중 하나인) 카페에서였는데, 노숙인의 커피잔을 앞에 두고 다음엔 어디로 갈까 궁리하고 있던 동틀 무렵이었다. 황갈빛 코담배 색이 나는 고급스러운 롱코트에 신발도 신은 남자가, 분명 모자 말곤 아무것도 없었는데, 모자에서 차갑게 식은 커다란 고기 푸딩을 꺼냈다. 푸딩이 모자 안에 꽉 들어찰 만큼 컸던 터라 안감까지 딸려 나왔다. 이 정체불명의 남자는 푸딩 때문에 이미 유명한 듯 잠자던 주인은 그가 들어서자 뜨거운 차 한 잔과 작은 빵 한 덩이, 그리고 큰 나이프와 포크와 접시를 내왔다. 자리에 혼자 남게 되자 남자는 탁자에 푸딩을 올려놓고는 나이프를 들더니 푸딩을 자르는 게 아니라 원수라도 되는 양 그대로 내리꽂았다. 그러고는 나이프를 빼내 소매에 닦더니 손가락으로 푸딩을 뚝뚝 떼어내선 이내 다 먹어치웠다. 이 푸딩 든 남자는 내 노숙 생활에서 마주친 가장 기괴한 사람으로 기억된다. 그 카페에 단지 두 번 갔을 뿐인데, 두 번 다 그가 거리낌 없이 들어와선 (침대에서 막 나와 곧장 다시 침대로 돌아갈 것 같은 모습이라고 말해야겠다) 푸딩을 꺼내고, 나이프를 내리꽂고, 나이프를 닦고, 모조리 먹어치우는 걸 봤다. 그는 약속된 유령의 형상이었지만, 말처럼 긴 얼굴은 지나치게 빨갰다. 두 번째로 봤을 때 그는 잠자던 사내에게 쉰 목소리로 물었다. "오늘 밤 내 얼굴이 빨갛소?" "그래요!" 사내는 단호하게 대답했다. 그러자 그 유령이 말했다. "내 어머니는 술을 좋아해서 얼굴이 빨갰는데, 관 속에 누워 있는 어머니를 뚫어져라 봤더니 내 얼굴색도 그리되었소." 어째선지 그 뒤로 푸딩이 해로워 보였고, 나는 그에게서 관심을 거뒀다.

장이 서지 않거나 색다른 경험을 하고 싶을 땐 아침 우편물이 실려 오는 종착역도 괜찮은 동반자가 된다. 하지만 이 세계 대부분 동반자처럼 아주 짧게만 함께할 뿐이다. 역전등이 휘황하게 빛나고, 은신처에서 짐꾼들이 튀어나오고, 수레와 마차들이 제 위치로 가려 덜컹거린다(우편 수레는 벌써 제자리를 찾았다). 그리고 마침내 종이 울리고, 굉음과 함께 기차가 들어온다. 그러나 승객도 거의 없고 짐도 적은 데다 모든 것이 위대한 원정을 좇아 황급히 사라진다. (마치 시체 더미를 끌어 담은 것 같은) 거대한 그물망을 싣고 온 우편 객차는 홱 문을 열어젖히고 기름등 냄새와 지친 역무원, 붉은 외투를 입은 경비원과 우편물 행랑

들을 쏟아낸다. 기차 엔진은 어떻게 여기까지 달려왔는지 이마를 닦으며 이야기하듯 소리를 내뿜고, 들썩이고, 땀을 흘린다. 그러다간 채 십 분이 지나기 전, 등불은 꺼지고 난 다시 노숙인으로 혼자 남는다.

그러나 이때쯤이면 근처 큰길로 소들이 몰려오는데 (소들이 늘 그렇듯) 돌담 한가운데로 방향을 돌리고, 넓이 15센티미터쯤 되는 철책 사이로 몸뚱이를 욱여넣고, (역시나 소들이 늘 그렇듯) 상상 속 개를 치뜨려 없애려 머리를 아래로 숙여 자신들은 물론 자신들에게 헌신적인 모든 사람에게까지 놀랍도록 불필요한 곤경을 선사한다. 이때쯤이면 또한 날이 밝아오는 걸 아는 지각 있는 가스등은 창백해지고, 길에는 이미 직공들이 흩어져 있다. 그렇게 마지막 파이 장수의 불꽃과 함께 꺼진 깨어 있는 삶이 길모퉁이 첫 아침 장수의 불꽃과 함께 다시 켜지기 시작한다. 그리고 점점 빠르게, 빠르게, 마지막 순간은 아주 빠르게 낮이 왔고, 난 지쳐 잘 수 있었다. 내가 종종 생각하곤 했듯 런던에서 가장 비참한 건 그런 시각에 귀가하는 것도, 밤의 진짜 사막에 집 없는 방랑자가 되어 혼자 있는 것도 아니다. 나는 하고자 했다면 어디에서 모든 종류의 악행과 불행을 찾을 수 있을지 너무나 잘 알고 있었다. 그러나 그것들은 감춰져 있었고 내 노숙인의 밤은 꽤나 먼 거리 동안 나만의 고독한 길을 갖게 해주었기에 나는 그저 걸었다.

Night Walks, 1860[9]

---

9  이 글은 디킨스가 펴낸 문학 잡지 《연중무휴 *All the Year Round*》의 연재글 「비영리 여행가 The Uncommercial Traveller」 중 한 꼭지로 실렸다 나중에 동명의 책으로 출간되었다.

# 밤에 깬 채 누워

스튜어트 화이트

"기러기 울음소릴 들으려 홀로 깨어 있는 이 누군가?"

가끔 밤에 깬 채 누워 있어야 할 때가 있다. 왜 그런진 알 수 없다. 소화가 안 돼 불쾌해서도 아니고, 무분별하게 차를 마시거나 담배를 피워서도 아니며, 뜻하지 않은 일이나 자극적인 대화에 흥분해서도 아니라는 건 분명하다. 사실 아주 편안한 밤 휴식을 기대하며 잠자리에 든다. 다만 거의 동시에 숲의 작은 소음들이 점점 커져선 첫 번째 졸음의 거대한 공동空洞 안에 섞여들고, 사고가 현실과 꿈 사이를 하릴없이 왔다 갔다 하다 어느 순간 탁, 완전히 깰 뿐이다!

어쩌면 활력의 저수지가 약간의 낭비가 필요할 만큼 가득 차서일 수 있다. 또 어쩌면 좀 더 미묘하게, 어머니 신이 더 큰 신비의 사원으로 초대해서일 수도 있다.

단순한 불면증과 달리 숲속에서 밤에 깬 채 누워 있는 건 즐거운 일이다. 잠을 자야 한다는 간절하면서도 불안한 긴장은 달콤한 무심함에 자리를 내준다. 잠은 더는 상관없다. 이제 정신은 판단과 사고가 멈춘 황홀한 양귀비[1] 속에 편안히 안긴다. 인상들은 의식 속으로 흐릿하게 미끄러져 들어와선 다시 흐릿하게 빠져나간다. 때로는 관찰할 수 있게 완전히 벌거벗은 채 서 있기도 하고, 때로는 반쯤 잠든 상태 속에서 사라지기도 한다. 인상들이 나른한 상상 위에 부드러운 벨벳 손가락을 얹어 어루만질 때면 늘 그들이 있던 더 광대한 공간을 느낄 수 있다. 평온하게 생각에 잠겨 있던 감각 기능은 이를 받아들인다. 청각과 시각과 후각 모두가 들리는 것과 보이는 것에, 그리고 밤새도록 퍼지는 숲 내음에 초자연적으로 예민해진다. 그러나 능동적인 감상력은 잠에 빠져 있는 터라 그 모든 건 떨어진 장미꽃잎처럼 달콤하면서도 신물나게 느껴진다.

1  poppy-suspension. 양귀비는 예부터 불면증 치료제로 쓰였다.

숲 사람들이 여울의 목소리라 부르는 소리는 이런 때 들려온다. 많은 이들이 전혀 들어보지 못하는 소리다. 그 목소리는 끊이지 않고 으르렁거리며 질주하는 소리 아래에서, 심지어 더 큰 소리에 묻혀 작게 팅팅거리고 콸콸거리는 소리 아래에서 아주 부드럽고 낮고 분명하게 말한다. 그 목소리는 시야를 유영하는 서린 눈물처럼, 보려고 시력을 집중하면 순식간에 사라지고 집중을 풀면 마법처럼 다시 나타난다. 의식이 흐릿하게 절반쯤만 있는 고요함 속에서 그 목소리는 말을 걸고, 주의를 기울여 들으려 하면 소란스러운 팅팅거리는 소리만 남긴 채 사라진다.

하지만 들리는 순간에는 아주 또렷하다. 냄새가 종종 사라진 모든 기억을 일깨우듯, 여울의 목소리도 자유로운 인상주의의 기운으로 전체 상황을 떠올리게 한다. 저 멀리 땡, 땡, 땡, 종소리가 들려오고 축제에 온 군중의 수군거림이 커졌다 작아졌다 하면, 회색빛 구시가지가 성벽, 붐비는 시장, 점잖은 농민들, 노점들, 종이 걸린 온화한 교회 건물, 먼지 묻은 따뜻한 햇볕과 함께 미세하게 느껴진다. 또, 물이 콸콸 질주하다 쉬어가는 사이 이따금 희미하면서도 맑은 노랫소리가, 지저귀는 새 소리가, 먼 데서 나는 웃음소리가 마치 카누 여러 대가 물살을 거슬러 가는 듯 들려온다. 카누들은 더 가까워지지 않고, 소리는 더 커지지 않는다. 숲 사람들은 이들 안개 종족을 '사냥꾼'이라 부르며 겁에 질린 표정을 짓는다. 각각의 종족은 그걸 듣는 이의 경험에서 나온 제각각의 환영이다. 이 숲속 종족들은 추방당한 자식들에게 여울의 목소리로 속삭인다. 흥미롭게도, 모든 기록에 따르면, 여울의 목소리는 언제나 추수하는 들판, 거리 축제, 대성당 마을의 일요일 아침, 근심 없는 여행자들 같은 혼란이나 싸움이 전혀 없는 평화로운 장면과 연관된다. 어찌 보면 이는 가혹한 삶에 대한 어머니 신의 보상인지도 모르겠다.

여울이 내는 이 나지막한 목소리에 관한 이야기보다 환상적인 비현실은 없으며, 이를 경험하는 것보다 실제적인 현실은 없다. 밤에 깬 채 누워 있으면, 이 목소리는 늘 은근하게 호소해온다. 서서히 목소리의 최면 주문이 통하기 시작한다. 잠의 경계를 막 넘어갈 때, 멀리서 울리는 종소리가 커지며 가까이 다가온다. 그러다 곧 텐트 밖 미세한 숲의 소리가 그 흐름을 툭 끊는다. 부엉이가 부엉대고, 쏙독새가 쏙독거리고, 조심스레 배회하는 야행성 동물의 발밑에서 나뭇가지가 바스러진다. 그 순간 노란 햇살을 받은 프랑스풍 목초지가 피어오르고, 텐트 위에 흩뿌려진 달의 희미한 형상을 바라보고 있는 나를 발견한다.

질주하던 시냇물 소리도, 여울의 목소리도 이젠 배경으로 물러난다. 숲 전체엔 무거운 침묵이 흐르지만, 적막함은 전혀 없다. 쏙독새는 제 노래의 짧은 소절을 낮췄다 높였다 하고, 부엉이는 우, 우, 우 소리를 재빠르게 반복한다. 여울의 끊임없는 질주와 함께 이들 소리는 밤의 직물을 수놓는, 밤도 예기치 못한 더 섬세한 자수들이다. 먼 데서 들리는 한차례 소란스러운 굉음, 가까이서 들리는 은밀한 발소리, 나지막한 발톱 긁는 소리, 무언가를 찾는 희미한 소리, 쿵! 쿵! 쿵! 갑작스레 허세 가득 맑게 우는 새끼 부엉이의 쿠-쿠-쿠-오 소리, 외로운 영혼을 타고난 아비阿比의 애절히 길게 뽑아내는 울음, 하늘 높이 나는 새들의 아득한 무리 찾는 소리, 이내 멈추는 마른 잎들 사이 후드득후드득 소리, 마지막으로 가까운 덤불에서 들려오는, 북부의 나이팅게일이라 불리는 흰목참새의, 마치 희미하게 반짝이는 달빛이 소리로 바뀐 양 아름다움의 황홀경에 떠는 은빛 청아한 소리, 그리고 그사이 텐트의 능선을 오르는 달의 흐릿한 형상까지. 이 모든 것들은 거대한 고요가 마침내 밤을 덮고 사색으로 우릴 이끌 때까지 미묘하게 어우러진다.

 이때만큼은 샘물 한 잔이 가장 고마운 음료다. 어두운 숲에서 사위를 둘러보는 이때만큼 생기를 전해주는 순간도 없다. 따뜻한 담요와 꿈의 몽롱함을 던져버린다. 육체적, 영적 시원함이 머리부터 발끝까지 씻어준다. 이제 모든 감각이 마지막 떨림에 맞춰진다. 더 작은 밤 배회 소리가 들리고 더 큰 무언가가 눈에 띈다. 은은하게 스미는 습기 어린 숲 내음이 코끝을 간질인다. 그러다 어찌 된 영문인지 신비하게, 이해할 수 없는 방식으로, 숲의 기운이 긴장 속에 있는 듯 느껴진다. 한 번의 손길만으로 무한한 가능성이 무한한 힘과 움직임으로 결정화될 것처럼. 하지만 숲의 기운엔 그럴 만한 손길이 없다. 숲의 기운은 작은 소리엔 관심을 두지 않은 채 움직임의 가장자리만을 맴돈다. 이 모든 겸손과 경외 속에서, 우린 고요한 장소의 거주자가 된다.

바로 그때 뜻하지 않는 사건과 만난다. 어느 밤엔 호기심 많은 고슴도치 열네 마리를 텐트 밖으로 내보냈다. 맥그레거만 근처 야영지의 널따란 잔디 공원에선 풀을 뜯는, 아름다운 유령들 같은 사슴 아홉 마리를 발견하기도 했다. 한 친구는 아마도 늑대를 피하려고 그랬을 거라며, 매일 밤 머리맡에서 채 한 걸음도 떨어지지 않은 텐트 밖에서 잠자던 새끼 사슴 얘길 해줬다. 어미가 죽어서였을 것이다. 친구가 텐트 입구로 향하는 순간 그 작은 생명체는 사라졌고, 이른 아침이면 늘 떠나고 없었다. 먹이를 찾는 야행성 곰을 보는 건 흔한 일이다. 하지만 박쥐나 숲 그림자, 별들밖에 만나지 못한다 해도 잠자는 숲의 기운이 담긴 그 몇몇 순간은 몸소 체험하는 것으로만 얻을 수 있는 정신적 경험이다. 앉아서는 그런 밤을 알 수 없다. 밤도 앉을 것이기에. 잠의 경계에서 밤으로 들어가야만 친밀한 분위기에서 밤과 얼굴을 맞대고 만날 수 있다.

강이나 벌판에서 불어오는 밤바람이 이내 몸을 차갑게 식힌다. 담요가 생각나기 시작한다. 잠시 후 부드러운 양털로 몸을 감싼다. 그 순간 아침이다.

그리고, 이상하게도, 하루를 무기력하게 보내는 것으로 값을 치르지 않아도 된다. 아홉 시가 아닌 여덟 시에 자고 싶을 수도 있고 평소보다 빨리 잠에 빠질 수도 있지만, 여정은 맑은 정신으로 시작해 경쾌하게 이어지다 많은 걸 비축하고 마무리될 것이다. 여정엔 나른함도, 무지근한 두통도, 피로도 따르지 않는다. 이날만은 두 시간의 잠이 아홉 시간을 자는 것만큼이나 효과적이었기에.

On Lying Awake at Night, 1903[2]

---

2 이 글은 야생 모험기이자 안내서인 『숲 *The Forest*』의 5장이다.

죽음,
조금 천천히
안녕

---

# 나방의 죽음

버지니아 울프

낮에 날아다니는 나방을 나방이라 부르는 건 온당치 않다. 그들은 커튼 그늘에서 잠드는 제일 흔한 노랑뒷날개나방이 늘 불러일으키는 어두운 가을밤과 담쟁이덩굴 꽃 같은 기분 좋은 감각을 일깨워주지 못해서다. 이들은 나비처럼 화사하지도, 다른 제 종족처럼 칙칙하지도 않은 잡종 생물이다. 하지만 그 나방은, 건초 빛깔 좁다란 날개에 같은 색깔 술이 달린 그때 그 나방은 제 생에 만족하는 듯 보였다. 구월 중순, 부드럽고 온화하나 여름보단 찬 기운이 도는 쾌청한 아침이었다. 창문 너머 들판에선 이미 밭갈이가 한창이었는데, 쟁기가 지난 자리엔 평평하게 눌린 땅이 습기로 반짝였다. 그런 활기가 들판과 그 너머 둔덕에서 굴러들어오니 책에 눈을 붙여두기 어려웠다. 떼까마귀 무리마저 연중 축제 중 하나를 치르고 있었다. 마치 수천 개의 검정 매듭이 달린 거대한 그물이 공중에 던져진 듯 보일 때까지 나무 꼭대기 위로 치솟더니, 잠시 후 모든 가지 끝에 매듭이 달린 것처럼 보일 때까지 천천히 나무 위로 내려앉았다. 그러곤 갑자기, 엄청나게 떠들썩한 외침과 함께 이번엔 그물이 더 넓은 원을 그리며 공중으로 던져졌는데, 공중으로 치솟았다 나무 위로 천천히 내려앉는 그 일이 떼까마귀들에게는 더없이 짜릿한 놀이 같았다.

    떼까마귀 무리와 쟁기질하는 농부와 말들에게, 심지어는 마르고 헐벗은 등처럼 보이는 둔덕에도 활력을 주는 그 힘이 나방에게까지 전해져 사각 창유리 틀 이쪽저쪽을 파닥이게 한 것이리라. 나방을 지켜볼 수밖에 없었다. 참으로 묘한 연민이 일었다. 그날 아침에 누릴 수 있는 즐거움이 너무나 크고 다양해 보였기에 나방이 자기 생의 몫만큼만, 그것도 낮 나방의 몫만큼만 즐거움을 누리는 게 가혹한 운명처럼 느껴졌고, 빈약한 기회나마 최대한 즐겨보려는 그 열정이 애처로워 보였다. 나방은 자기 몫의 창유리 틀

한 귀퉁이로 힘차게 날아갔다 잠시 기다린 뒤 다른 쪽 귀퉁이로 날아갔다. 세 번째 귀퉁이로 날아갔다 네 번째 귀퉁이로 날아가는 것 말고 할 수 있는 일이 더 있었을까? 큰 둔덕, 넓은 하늘, 저 멀리 집집이 피어오르는 연기, 이따금 바다에서 들려오는 증기선의 낭만적인 소리가 있었음에도 나방이 할 수 있는 일은 그것뿐이었다. 그리고 나방은 할 수 있는 그 일을 했다. 그를 보고 있으려니, 세계의 어마어마한 에너지가 담긴 가느다랗지만 순수한 실 한 올이 그 연약하고 자그마한 몸속에 밀어 넣어진 것 같았다. 그가 창유리 틀을 가로지를 때마다 난 그 반짝이는 생명의 실 한 올이 눈에 보이는 듯한 환상에 빠졌다. 그는 살아 있음 그 자체였다.

하지만 그는 열린 창 안으로 밀려 들어와 내 뇌와 다른 인간의 뇌 속 좁고 복잡한 길을 돌아다니는 너무 작고, 너무 단순한 형태의 에너지였기에 경이로움뿐 아니라 애처로움도 함께 느껴졌다. 그는 마치 누군가 순수한 생명의 작은 구슬을 가져다 솜털과 깃털로 최대한 가볍게 꾸미고는 우리에게 생의 진정한 본질을 알려주기 위해 이리저리 춤추게 하는 존재 같았다. 그렇게 보였기에 난 기이한 느낌을 떨쳐낼 수 없었다. 굽고 올록볼록하고 장식 탓에 불편해 보이는 몸으로 극도로 조심하며 위엄 있게 움직이는 나방의 모습을 보며 사람들은 그의 생에 관한 모든 걸 잊곤 한다. 다시금, 저 나방이 다른 모습으로 태어났다면 어떤 생을 누렸을지 생각하니 그 단순한 몸짓에 연민 같은 것이 일었다.

    잠시 뒤, 춤에 지친 듯 나방은 해가 비치는 창가에 자리를 잡았고, 그렇게 기묘한 구경거리가 끝나자 나는 나방을 잊었다. 그러다 문득 위를 쳐다보니 나방이 눈에 들어왔다. 나방은 다시 춤을 추려 하고 있었는데, 몹시 뻣뻣해져서인지 불편해서인지 창 아래쪽으로 파닥거릴 뿐이었고, 건너편 창유리 틀로 날아가려 했지만 그럴 수 없었다. 다른 일에 생각을 뺏기고 있던 난 그 헛된 시도를 한동안 그저 바라봤고, 기계가 잠시 멈췄는데 멈춘 까닭은 살피지 않고 다시 작동하기를 기다리듯 아무런 의식 없이 나방이 다시 날기를 기다렸다. 일곱 번쯤의 시도 끝에 나방은 나무 창틀에서 미끄러져선 날개를 떨며 뒤집힌 채 창턱 위로 떨어졌다. 그 무력한 몸짓에 난 퍼뜩 정신이 들었다. 그에게 어려움이 닥친 걸 알 수 있었다. 그는 이제 제힘으로 일어나지 못했고, 두 다리만 헛되이 버둥대고 있었다. 이윽고, 도와주려는 심정으로 나방에 연필을 뻗는 순간, 이 실패와 곤경이 죽음으로 이어지리라는 생각이 엄습했다. 나는 연필을 도로 내려놨다.

　나방의 다리가 다시 한번 버둥댔다. 마치 적과 맞서 싸우는 듯 보였다. 밖을 내다봤다. 거기엔 어떤 일이 벌어져 있을까? 정오쯤이었고 밭일은 멈춰 있다. 이전의 활기 대신 고요와 정적이 자리했다. 새들은 먹이를 찾아 개울로 떠나 버렸다. 말들은 가만히 서 있다. 하지만 그 힘은 바깥 것들과는 상관없다는 듯 무심하게, 어느 것에도 특별한 주의를 기울이지 않으며 그곳에 그대로 있었다. 어찌 보면 그 힘은 저 작은 건초 빛 나방과는 반대되는 것이었다. 할 수 있는 게 아무것도 없었다. 다가올 운명, 하고자 했다면 도시 전체는 물론 인류 전체도 뒤덮었을 그 운명에 맞서 작은 두 다리가 벌이는 놀라운 저항을 지켜볼 수 있었을 뿐. 죽음을 막을 방법은 없단 걸 난 알고 있었다. 하지만 탈진으로 잠시 멈췄던 두 다리는 다시 버둥거렸다. 이 마지막 저항은 실로 웅장했고, 미친 듯 버둥거리던 나방은 마침내 몸을 바로잡았다. 당연히, 나의 연민은 생의 편에 섰다. 게다가 아무도 신경 쓰지 않고 알지도 못하는데, 거대한 힘에 맞서 누구도 인정해주지 않고 지키려 하지 않는 것을 간직하려는 그 작고 보잘것없는 나방의 그토록 거대한 노력에 나는 기묘한 감동 또한 느꼈다. 어째선지 다시금, 생명, 그 순수한 구슬이 보였다. 소용없음을 알면서도 난 다시금, 연필을 들어 올렸다. 하지만 그 순간, 분명한 죽음의 징표들이 모습을 드러냈다. 나방의 몸이 축 늘어지더니 갑자기 뻣뻣해졌다. 저항은 끝났다. 그 작고 보잘것없는 생명체는 죽음을 알게 되었다. 죽은 나방을 바라보는 사이, 그토록 거대한 힘이 너무도 하찮은 적에게 얻은 이 순간적인 치사한 승리에 내 안은 놀라움으로 채워졌다. 몇 분 전까지 생이 그랬듯, 이젠 죽음이 낯설었다. 몸을 바로잡은 나방은 가장 품위 있게, 아무런 불평 없이 누워 있었다. 그는 말하는 듯했다. 오, 그래요. 죽음이 나보다 강하답니다.

Death of the Moth, 1942 [1]

---

[1] 버지니아 울프는 1941년 세상을 떠났고 이 글이 담긴 『나방의 죽음과 다른 에세이 *The death of the moth and other essays*』는 남편 레너드 울프의 도움을 받아 1942년 사후 출간되었다.

# 고양이 무덤

나쓰메 소세키

와세다로 이사하고부터 고양이는 점점 야위었다. 아이들과 놀아줄 기색도 전혀 없었다. 햇볕이 들면 툇마루에서 잠자리를 골랐다. 가지런히 모은 앞발 위에 네모난 턱을 올리고는 뜰에 심은 나무를 가만히 응시했는데, 언제까지고 꼼짝 않을 기세였다. 아이들이 가까이서 야단법석을 떨어도 본체만체, 결국 아이들도 더는 상대조차 하려 들지 않았다. 놀이 상대로는 전혀 못 쓰겠다는 듯 오랜 친구를 타인 취급한 것이다. 아이들뿐 아니라 하녀도 하루 세 번 먹이를 부엌 구석에 놓아두는 일 외엔 거의 신경 쓰지 않았다. 먹이를 대개는 이웃 사는 삼색 고양이가 와 먹어버리는 상황이었는데도 말이다.

    고양이는 별달리 성을 내지도 않았다. 싸우는 걸 본 적도 없다. 그저 가만히 잠을 잘 뿐이었다. 그런데 자는 모양새가 왠지 편해 보이지 않았다. '느긋하게 몸을 뻗고 햇볕을 온몸으로 받아내기는커녕 움직일 힘이 없어서……' 아니 이 정도 표현으론 부족했다. 나른함의 정도를 아예 넘어섰다. 움직이지 않아 적적하지만 움직이면 더더욱 적적해질 터이기에 그저 참고 있는 듯 보였다. 눈길은 늘 뜰 안 나무를 향하고 있었지만, 나뭇잎이나 줄기의 모양을 좇는 건 아니었다. 푸른빛이 도는 노란 눈동자를 멍하니 허공에 붙박아두고 있을 뿐이었다. 집 아이들이 고양이의 존재를 인식하지 못하는 것처럼 고양이는 이 세계의 존재를 뚜렷이 인식하지 못하는 것 같았다.

    그래도 가끔은 할 일이 있는지 외출할 때가 있었는데, 그럴 때마다 늘 이웃 삼색 고양이에게 쫓겨 다녔다. 그러다 겁을 먹은 고양이는 종국엔 툇마루로 뛰어올라 닫힌 장지문을 뚫고 화로 곁으로 도망쳐 왔다. 우리 가족이 그 존재를 알아채는 건 이때뿐이었다. 고양이도 이때만은 자신이 살아 있다는 사실을 만족스럽게 자각했으리라.

나쓰메 소세키

이런 일이 몇 번이고 반복되는 사이 고양이의 긴 꼬리털이 점점 빠졌다. 처음에는 군데군데 구멍이 난 듯 빠지더니 나중에는 벌건 살이 다 드러나도록 빠져 보기에도 안쓰러울 지경이 되었다. 만사가 귀찮아진 고양이는 몸뚱이를 잔뜩 구부린 채 곳곳의 아픈 데를 핥아대기 일쑤였다.

이봐, 고양이가 어디 아픈 거 아닌가 하고 말하면, 처는 그런가 봐요, 나이를 먹은 탓이겠죠라며 별일 아닌 듯 대꾸했다. 그러면 나도 그만 내버려두었고. 그렇게 조금 더 지나자 고양이는 이제 세끼 밥을 게워내는 지경에 이르렀다. 목이 커다랗게 울렁거리는가 싶으면 기침인지 딸꾹질인지 모를 괴로운 소리를 냈다. 고통스러워 보였지만 정신이 돌아오면 할 수 없이 바깥으로 내쫓았다. 그러지 않으면 다다미와 이불을 더럽혀서였다. 손님용 능직 비단 방석을 종종 그렇게 했듯.

"거참, 할 수 없군. 위장이 안 좋은 듯하니 위장약이라도 물에 녹여 먹여봐."

처는 아무런 대꾸도 하지 않았다. 이삼 일 지나 약을 먹였냐고 물어보니 처는 먹일 수가 없다고, 입을 벌리지도 않는다고, 생선 가시를 먹이니 게워내더라고 했다. 그런데 굳이 뭐하러 먹였냐고 매정하게 화를 낸 나는 다시 책 읽기에 열중했다.

고양이는 구역질 증세만 그치면 전처럼 얌전하게 잤다. 그즈음은 대개 몸을 가만히 접듯이 해선 툇마루에 기댄 채 잔뜩 웅크리고 있었다. 눈초리도 조금 달라졌는데, 처음엔 멀리 있는 것이 그저 비추듯 맥없이 차분하더니 점차 이상스러운 움직임이 보였다. 눈빛도 점점 가라앉아 밤하늘에 희미한 번개가 일순간 번쩍이는 듯한 빛깔이었다. 그래도 내버려두었다. 처도 별달리 신경 쓰지 않는 듯했다. 아이들은 고양이가 있다는 사실조차 잊고 있었다.

어느 밤, 아이들 이불 끄트머리에 배를 깔고 있던 고양이가 별안간 생선을 뺏겼을 때 내는 소리를 냈다. 나는 뭔가 잘못됐음을 감지했다. 아이들은 잠에 빠져 있었고 처는 바느질에 여념이 없었다. 잠시 후, 고양이가 또 그르렁댔다. 처는 그제야 바느질하던 손을 멈췄다. 나는 도대체 무슨 일이지, 한밤중에 아이들 머릴 물어버리기라도 하면 어쩌지 하고 물었다. 설마요, 하고 말한 처는 다시 깁던 속옷을 꿰매기 시작했다. 고양이는 이따금 괴로운 듯 울었다.

다음 날 고양이는 화로 주변에 앉아 종일 신음하며 괴로워했다. 차를 따르거나 주전자를 들어 올리는 일조차 마음이 편치 않았다. 그랬는데, 밤이 돼선 나도 처도 고양이를 깡그리 잊었다. 결국 고양이는 그 밤에 죽었다. 날이 밝아 하녀가 땔감을 가지러 헛간에 갔을 땐 이미 부뚜막 위에서 차갑게 식은 채였다.

여태 냉담하던 처는 굳이 그 광경을 보러 갔다. 그러더니 별안간 태도를 바꿔 한바탕 소동을 벌였다. 드나들던 인력거꾼에게 부탁해 네모난 묘비를 사 오더니 나에게 뭔가를 써달라 했다. 나는 앞면엔 '고양이 무덤'이라 적고 뒷면엔 '이 아래 번개 번쩍이는 밤 있으리라'라고 적었다. 인력거꾼은 이대로 묻어도 되냐고 물었고, 하녀는 아무려면 화장을 하겠냐고 쌀쌀맞게 답했다.

아이들도 갑자기 고양이를 아끼기 시작해 묘비 좌우에 유리병을 놓는가 싶더니 싸리꽃을 잔뜩 꽂아두었다. 무덤 앞엔 물을 담은 밥공기를 놓았다. 꽃과 물은 매일 갈아주었다. 사흘째 저녁 무렵, 나는 네 살배기 딸아이가 혼자 무덤 앞에 서더니 잠시 삼나무 묘비를 응시하다 손에 쥔 소꿉놀이용 국자로 밥공기 속 물을 떠 마시는 광경을 서재 창을 통해 목격했다. 여러 번이었다. 싸리꽃 내려앉은 맑은 물이 고즈넉한 저녁노을 아래서 아이코의 목을 적셨다.

처는 고양이 명일命日이면 여전히 연어 한 조각과 가츠오부시 뿌린 밥 한 그릇을 올린다. 다만 요즘은 뜰까지 가져가진 않고 대개는 다실 서랍장 위에 올려두는 모양이다.

猫の墓, 1909[1]

---

1 '고양이 무덤'은 「영일소품永日小品」이란 제목으로 1909년 1월 14일부터 3월 14일까지 〈마이니치신문〉과 〈아사히신문〉에 연재된 글 중 한 편이다.

# 어느 소나무의 죽음

헨리 데이비드 소로

1851년 12월 30일

　오늘 오후 페어 헤이븐 언덕에 서 있는데 톱질 소리가 들리더니 곧, 비탈 200미터쯤 아래서 두 사내가 한 그루 웅장한 소나무를 자르고 있는 게 보였다. 숲이 베어질 때 남겨진, 지난 십오 년 동안 풀만 남은 땅 위에서 고독하나 위엄있게 흔들리던 십여 그루 소나무 중 마지막인 그 나무가 쓰러질 때까지 나는 지켜보기로 했다. 사내들은 그 우람한 나무의 둥치를 갉는 비버나 곤충처럼 보였는데, 두 작디작은 난쟁이는 나무를 제대로 자를 수나 있을까 싶은 작은 톱을 들고 있었다. 나중에 재본 바 30미터 정도로 마을에서 가장 컸을 성싶은 그 나무는 화살처럼 곧았으나 비탈 쪽으로 살짝 기울어져 있었고, 우듬지는 얼어붙은 강과 코낸텀 언덕을 배경에 두고 있었다. 난 나무가 언제쯤 기우는지 유심히 지켜봤다. 톱장이들이 톱질을 멈추더니 더 빨리 쓰러뜨리려 도끼로 나무가 기울어진 쪽에 약간의 틈을 낸다. 그러고는 다시 톱질을 잇는다. 이제 나무가 확실히 기운다. 4분의 1정도 기울었을 때 난 숨을 멈춘 채 완전히 넘어가리라 생각한다. 하지만 아니다, 내 착각이다. 나무는 조금도 기울지 않았고, 처음과 똑같은 각도로 서 있다. 넘어지려면 아직 십오 분이 더 남았다. 한 세기는 더 서 있을 운명이라는 듯 여전히 가지가 바람에 흔들리고, 바람은 이제껏 그랬듯 솔잎 사이로 솨솨 분다. 여전히 숲의 나무고, 머스케타퀴드[1] 위를 물결치는 가장 장엄한 나무다. 햇살의 은빛 광채가 솔잎에 부딪혀 반짝인다. 다람쥐가 둥지로 삼을 만한 닿기 힘든 가랑이가 여전히 있고, 언덕을 오래된 배로 만드는 돛대 같은 줄기에 이끼도 잘 붙어 있다. 지금, 지금

---

1 Musketaquid, 월든 호수가 있는 콩코드 지역을 부르던 원주민 인디언 말로 '초원' 또는 '물이 풀 사이로 흐르는 곳'이라는 뜻이다.

이 그 순간이다! 나무 밑 난쟁이들이 범죄 현장에서 달아난다. 죄를 범한 톱과 도끼를 내팽개친 채. 어쩌면 그리도 느리고 장엄하게 시작되는지! 마치 여름 미풍에 흔들린 것인 양, 한숨 한 번 쉬지 않고 허공 위 제자리로 돌아올 듯하다. 그러더니 이내 비탈에 바람을 일으키며 넘어져선 다시는 일어나지 못할 계곡 안 이부자리에 깃털처럼 가볍게 누웠다. 전사처럼 초록빛 망토를 두른 채, 서 있느라 지쳤다는 듯 나무는 자신의 것들을 흙에 되돌려주며 대지를 고요한 기쁨으로 감쌌다. 하지만 잘 들어보라! 당신은 보기만 했을 뿐 듣진 못했다. 거기에선 나무도 신음 없이 죽진 않는다는 걸 알려주는 바위와 귀청이 터질 듯한 충돌이 일어난다. 나무는 대지를 껴안아 자신을 이루고 있는 것들을 흙과 뒤섞으려 돌진한다. 그러고 나서야 다시, 그리고 영원히 눈과 귀는 고요해진다.

나는 내려가 나무를 재보았다. 잘린 둥치 지름은 1.2미터 정도였고, 길이는 30미터가 조금 넘었다. 나뭇가지들은 내가 도착하기 전 벌써 도끼로 정리된 상태였다. 우아하게 펼쳐져 있던 우듬지는 유리로 만들어진 것처럼 완전히 산산 조각나 언덕 위에 흩어져 있었고, 일 년을 자란 가지 끝

여린 솔방울들은 헛되나마 도끼의 자비심을 애원하기에도 늦어버린 뒤였다. 벌목꾼은 이미 도끼로 나무를 재 값까지 표시해 두었다. 하늘을 차지했던 소나무의 자리는 다음 두 세기 동안 비어 있을 것이다. 소나무는 목재가 되었다. 벌목꾼은 하늘을 쓸모없게 만들었다. 봄날 물수리가 머스케타퀴드 강둑을 다시 찾아도 늘 앉던 자리가 없어 헛되이 돌 것이고, 암컷 매는 새끼들을 보호해줄 높다란 소나무가 없어 슬퍼할 것이다. 천상을 향해 천천히 오르며, 두 세기에 걸쳐 완성된 한 식물이 오늘 오후 존재를 잃었다. 올 일월 해빙기만 해도 우듬지에서 어린잎들이 펼쳐지며 다가올 여름을 알려준 나무였다. 왜 마을 종은 조의를 표하지 않는가? 죽음을 애도하는 종소리가 들리지 않는다. 거리와 숲길에도 애도 행렬이 보이지 않는다. 다람쥐는 다른 나무로 뛰어 올라갔고 매는 저 먼 데로 날아가 새로운 둥지를 꾸렸으나, 벌목꾼은 거기에도 도끼를 들이밀려 준비하고 있다.

Death of a Pine Tree, 1854

헨리 데이비드 소로

# 도토리

데라다 도라히코

몇 년 전인지는 떠올릴 수조차 없지만, 며칠이었는지는 기억한다. 한 해가 저무는 26일 밤, 아내는 하녀를 데리고 시타야의 도쿠다이지데라德大寺에 공양을 하러 갔다. 열 시가 지나 돌아온 아내는 소매 안에서 긴쓰바[1]와 군밤을 꺼내 내가 책을 읽고 있는 책상 모퉁이에 살며시 놓아두고는 화장실로 갔다. 그러나, 아내는 곧 시퍼런 얼굴을 하

---

1　화과자의 일종으로 얇게 편 밀가루 반죽 안에 팥소를 넣어 감싼 뒤, 기름을 두른 동판에 구워 만든다.

고 서둘러 나오더니 책상 곁에 앉자마자 기침과 함께 피를 토했다. 놀란 건 당사자만이 아니었다. 그때 내 얼굴에 핏기가 싹 가시는 걸 보고선 맥이 더 풀렸다고 나중 아내는 말했다.

이튿날, 하녀가 약을 타러 갔다 오더니 갑자기 휴가를 청했다. 동네가 소란스럽다느니 심부름을 나가면 불쾌한 장난을 치는 사람이 꼭 있어 기분도 나쁘고 무서워 도무지 견딜 수 없다느니 하는 묘한 얘기와 함께였다. 나는 보다시피 환자가 있는데 네가 없으면 어쩌느냐, 적어도 대신할 사람이 올 때까지만 참아달라 했고, 일개 서생이긴 하나 어쨌든 일가의 가장이 거의 울면서 부탁한 덕분인지 그날은 어찌어찌 단념한 듯했다. 그러나 다음 날, 고향에 계신 부모님이 큰 병에 걸렸다는 핑계와 함께 하녀는 나가버렸다.

미요는 밀린 돈을 받으러 온 인력거 가게 노파에게 아무라도 괜찮으니 구해달라 부탁, 소개소에서 데려온 여자였다. 불행 중 다행으로 미요는 마음씨가 곱고 솔직했다. 다만 너구리는 사람으로 둔갑한다는 얘기 따위를 믿는 얼빠진 구석이 약간 있었고, 환자 간병에 충실한 데다 혼을 내도 역정을 내진 않았으나 때때로 크고 작은 실수를 저질렀다. 손 씻을 물이 든 대야를 방 한가운데 엎질러 온 방을 물 천지로 만드는가 하면, 물려받은 고타쓰[2] 안에 들어가 자는 바람에 이불에서 다다미 바닥까지 약 30센티미터 정도 탄 구멍을 내기도 했다. 그럼에도 나는 여전히 미요를 고맙게 생각한다.

환자의 용태가 나아지지도 나빠지지도 않는 사이, 어느덧 해가 저물려 하고 있었다. 새해맞이를 해야 하는데 뭘 사고 뭘 준비해야 할지 막막해하던 차, 미요가 환자의 지시에 제 의견을 더해 온종일 바삐 일했다. 31일 자정이 지날 무렵, 장지문이 심하게 찢어진 걸 발견한 나는 외투에 두건까지 덮어쓰고는 종발 하나를 들고 모리카와마치에 5리짜리 풀을 사러 갔는데, 미요는 새벽 세 시 넘어까지 곤약 꽈배기를 만들고 있었다.

세간이 경사스러운 정월, 날씨는 연일 따뜻했고, 환자는 조금씩 좋아졌다. 바람 없는 날에는 툇마루 양달에 나가 종이학을 몇 개나 접거나 소중히 숨겨두었던 인형의 옷을 만들고, 조금 쌀쌀하거나 흐린 날에는 이불 속에서 〈검은

---

[2] 일본의 난방기구로 보통 네모난 상 모양이며, 상판과 본체 사이에 두꺼운 모포나 이불을 덮어 사용한다. 우리나라 같은 온돌 시설이 흔치 않은 일본의 주거환경에서는 필수적인 물건이다.

머리칼〉³을 연주할 정도까지 되었다. 때로는 외롭다는 등 푸념을 해 나와 미요를 곤란하게 만들기도 했다. 점점 배가 불러온 아내는 오월엔 첫 출산이라는 인생의 큰일을 치를 예정이었다. 하지만 열아홉이었던 그해는 대액운大厄運의 해⁴라고 했다. 미요가 집에 돌아가고 없는 밤이면, 아내는 램프를 응시한 채 책상 앞에 앉아 찬바람 소리에 섞여 전해지는 이웃 방의 쓸쓸한 숨소리를 들으며 긴 한숨을 내쉬는 일도 있었다.

아내는 의사가 위로 삼아 건넨 말을 철석같이 믿고 일시적 기관지 출혈이라 생각했던 모양이다. 하긴 그렇지 않다고는 믿고 싶지 않았을 터. 그래도 뭔가 불안한 구석이 있었는지 가끔 "혹시 폐병이어서 안 낫는 건 아니겠죠?" 하고 묻긴 했다. 또 어떤 때는 "당신, 뭔가 숨기고 있죠? 틀림없어, 그렇죠, 당신?" 하고 집요하게 물으며 내 표정을 읽어내려 했다. 그럴 때마다 나는 걱정이 가득 담긴 기도하는 듯한 눈빛을 보는 것 자체가 괴로워 "바보 같은 소리. 그런 일 없다고 하면 없는 줄 알아!" 하고 쌀쌀맞게 대꾸하고 말

---

3  지방 속요 중 한 곡으로, 에도시대에 교토 부근을 중심으로 한 서일본 지역에서 샤미센三味線 연주와 함께 불렀다.

4  데라다의 첫 아내, 사카이 나쓰코阪井夏子는 열아홉 살에 사망한다.

왔다. 그런데도 아내는 일시적이긴 했지만, 그 말에 안심이 되었던 모양이다.

병세는 조금씩이지만 좋아져 이월 초에는 목욕도 하고 머리도 틀어 올릴 수 있게 되었다. 인력거 가게 노파는 "이젠 거의 다 나으신 것 같네요!" 하고 제멋대로 단정하고는 주머니 속에서 슬며시 계산서를 꺼내며 "힘드시죠? 빨리 완쾌하셔야죠" 하고 덧붙였다. 의사는 상태를 묻자 애매하게 그저 "어쨌든 임신 중이니 오월이 가장 힘드실 겁니다"라는 미덥지 못한 대답을 했다.

아무려나 조금씩 좋아졌다. 바람도 별로 없고 따뜻했던 그달 십몇 일, 의사의 허락을 받아 식물원에 데려가 주겠다고 하니 아내는 몹시 기뻐했다. 채비를 마치고 뜰까지 나갔을 때, 아내는 머리가 너무 볼품없다며 다시 만지고 오겠다고 들어갔다. 나는 마루에 앉아 팔짱을 끼고는 고즈넉한 뜰을 둘러봤다. 작년 국화가 뽑힌 채 가련하게 시들어 있었는데, 거기 감긴 색색의 종이가 바람도 불지 않는데 부들부들 떠는 듯 추워 보였다. 손 씻는 대야 맞은편 매화 가지엔 꽃 두 송이가 만개해 있었다. 나는 가까이 다가가 자세히 들여다봤다. 조화였다. 아마도 환자가 장난삼아 달아놓은 모양이었다.

거실 장지 유리문으로 들여다보니 경대 앞에 앉은 아내가 풀어헤친 머리를 쥐어선 획 내리고는 빗질을 했다. 조금 매만진다더니 처음부터 새로 하는 모양이었다. 나는 그만하면 됐으니 이제 끝내라고 재촉해두고는 다다미방에 가 드러누워선 아침에 읽던 신문을 다시 들여다봤다. 빨리하라고 한 번 더 큰 소리로 재촉하자 그렇게 들볶아치면 더 늦어지지 않느냐며 아내는 되레 큰 소리를 냈다. 나는 잠자코 부엌 옆을 돌아 문밖으로 나와 보았다. 길을 지나던 사람들이 흘끔흘끔 쳐다보는 터라 할 수 없이 걷기 시작했는데, 50미터쯤 어슬렁거리며 걷다 뒤돌아보니 아직이었다. 길을 되짚어 와선 부엌 옆에서 툇마루 쪽으로 돌아 들여다보니, 아내가 주책맞게 엎드려 울고 있는 걸 미요가 달래고 있었다. 아내는 너무하다고, 어디든 혼자 가버리라고 떼를 썼다. 미요가 어머나, 그래도요 하며 달래고야 겨우 집을 나설 수 있었다.

실로 쾌청한 날씨였다. "인간의 마음이란 게 증발해 안개가 될 것만 같은 날이군" 하고 말하자 눈 오는 날 신는 신발을 귀찮다는 듯 질질 끌며 걷던 아내는 "네, 그렇군요"라며 마음에도 없는 말을 하더니 부러 웃음까지 지어 보였다. 나는 그때 처음으로 아내의 배가 이상스레 부풀어 있음을 깨달았다. 걷는 모양새도 몹시 부자연스러웠다. 하지만 아내는 신경 쓰지 않는다는 듯 내게 꼭 붙어선 채 걸음을 옮겼고, 나는 미요를 데리고 왔으면 좋았겠다 생각하며 입을 꾹 다문 채 걸음을 서둘렀다.

식물원 정문을 지난 우리는 곧바로 넓은 언덕을 오른 뒤 왼쪽으로 꺾었다. 평온한 햇살이 널따란 식물원에 가득 차 꽃도 풀도 없는 땅바닥이 마치 잠들어 있는 것 같았다. 온실 벽 하얗게 바른 부분이 반짝거리고, 그 앞으로 소매 속에 손을 찔러 넣은 두세 사람의 그림자가 온실 창 안을 들여다보는 게 보일 뿐이었다. 분수는 멈춰 있었고, 수련은 아직 차가운 진흙 바닥에서 한여름 구름 그림자를 기다리고 있었다. 시골 아낙 네댓이 마치 여우에게 홀리기라도 한 듯한 얼굴을 한 채 또각또각 게다 소리를 내며 온실 밖으로 걸어 나왔다. 우리는 그네들을 스쳐 온실 안으로 들어갔다.

꿉꿉하지만 활력 가득한 열대 공기가 콧구멍을 거쳐 뇌까지 침투해왔다. '야자나무나 류큐[5]의 파초 따위가 더 자라면 지붕은 어떻게 한담' 하고 늘 생각했는데, 그날

---

5  류큐는 오키나와의 옛 이름이다.

도 그랬다. 누군가 하와이라는 나라엔 폐병이 없다고 말했던 걸 떠올리던 차, 아내가 붉은 반점이 있는 암녹색 풀잎을 만지작거리기에 나는 "어이, 그만둬. 독풀일지도 모르잖아" 하고 말했다. 그 말에 아내는 황급히 떨어져선 찡그린 얼굴로 손가락 끝을 물끄러미 응시하다 슬쩍 냄새를 맡아봤다.

좌우 곳곳 붉은 꽃이 핀 회랑에는 천하 태평한 얼굴의 사람들이 모여 있었다. 아내는 왠지 몸이 좋지 않다고 말했다. 따뜻한 곳이어서인지 얼굴색은 크게 나빠 보이지 않았다. 빨리 바깥으로 나가는 편이 좋겠다고 하기에 나는 좀 더 보고 나가겠다 하니 아내는 잠시 망설이는 듯하다 순순히 바깥으로 나갔다. 붉은 꽃만 보고 바로 나갈 작정이었지만 사람들 사이에 끼어 나갈 타이밍을 놓쳤고, 고생 끝에 겨우 나오니 아내가 보이지 않았다. 여기저기 주위를 둘러보니 아내는 저 멀리 건너편 정자 안 벤치에 힘없이 앉은 채 이쪽을 향해 웃고 있었다.

식물원의 정적은 아까와 다름없었다. 마치 햇볕이 눈에 보이지 않는 힘으로 땅 위 살아 있는 모든 존재의 활동을 살그머니 짓누른 것처럼. 기분이 완전히 나아졌다고 하기에 슬슬 집에 돌아가자고 하니 아내는 조금 놀란 듯 내 얼굴을 바라보다간 모처럼 왔으니 연못 쪽으로 좀 더 가보자고 했다. 일리가 있다는 생각에 나는 아내가 말한 곳으로 발길을 옮겼다.

언덕으로 내려가려는데, 대학생 두셋이 허세 가득한 목소리로 아리스토텔레스가 어쨌느니 저쨌느니 떠들어대며 올라왔다. 연못 안 작은 섬 정자엔 서른 살 정도 되어 보이는 안경 쓴 고상한 여성이 세일러복을 입은 남자애와 여자애가 노는 걸 지켜보고 있었다. 아이 중 하나가 조약돌을 주워 얼음 위에 미끄러지게 하니 경쾌한 소리가 났다. 벤치 위에는 구겨진 갱지에 싸인 커다란 카스텔라 조각이 놓여 있었다. 아내는 웬일로 "저런 여자애가 있었으면 좋겠어요" 하고 말했다.

언덕 아래서 출구 쪽을 향해 걷는데, 볼만 한 게 하나도 없었다. "어머, 도토리가" 뒤따르던 아내가 갑자기 큰 소리로 외치더니 길옆 떨어진 낙엽 사이로 걸어갔다. 과연, 무수한 도토리가 낙엽 속에 섞인 채 비탈 끝 얼어붙은 땅 위에 흩어져 있었다. 아내는 어느샌가 한쪽에 쪼그려 앉았고, 이내 열심히 도토리를 줍기 시작했다. 왼 손바닥이 가득 찬 건 순식간이었다. 나도 두어 개 주워서는 길 건너 공중화장실 지붕에 던졌는데, 떼굴떼굴 굴러 반대편으로 떨어졌다. 아내는 허리띠 사이에서 손수건을 꺼내 무릎 위에 펼치고는 다시 줍기에 열중했다.

"그 정도로 해두지, 바보같이……" 하고 말해봤지만 좀처럼 그만둘 생각이 없는 듯해 나는 소변을 보러 갔다. 나와 보니 아직도 줍고 있기에 "그 많은 걸 도대체 어디에 쓰려고?" 하고 물었더니 아내는 즐겁다는 듯 웃으며 "줍는 게 왠지 재밌어서요" 하고 말했다. 주운 도토리가 손수건에 가득 차자 잘 감싸 소중히 묶길래 인제 그만두나 보다 했는데, "당신 손수건도 이리 줘봐요" 하는 게 아닌가. 결국 내 손수건에도 몇 홉이나 되는 도토리를 채운 뒤에야 아내는 "인제 그만하고 돌아가죠" 하고 태평스레 말했다.

도토리를 주우며 그렇게 즐거워하던 아내가 이젠 없다. 무덤 위로 이끼꽃이 몇 번이나 피었다. 산에선 여기저기 도토리가 굴러떨어지고 직박구리 우는 소리에 잎이 떨어진다. 올 이월, 아내가 남긴 여섯 살배기 보물 미쓰보[6]를 데리고 식물원에 놀러 가 도토리를 줍게 했다. 이런 사소한

---

6 데라다는 아내와 사별 후 두 번 재혼하는데, 여기서 '미쓰보'는 첫 아내가 폐병으로 죽기 직전 낳은 장녀 사다코貞子를 가리킨다.

것도 유전이 되는 것인지, 아이는 더없이 즐거워했다. 대여섯 개 정도 주울 때마다 숨을 헐떡거리며 내게 뛰어와선 내 모자 안에 펼쳐둔 손수건 위에 던져넣고는 점점 늘어가는 도토리에 뺨을 발갛게 물들이며 기뻐 어쩔 줄 몰라 했다. 천진난만한 그 얼굴에 숨길 수 없는 제 어미의 옛 모습이 언뜻언뜻 비쳐 희미해져 가던 옛 기억이 다시 돌아왔다.

"아빠, 큰 도토리야. 이거, 이거, 이거, 이거, 이거, 전부 큰 도토리!" 하며 아이는 자그마한 흙투성이 손가락으로 모자 속을 더듬어 겹겹이 포개진 도토리 머리를 하나하나 찔러봤다. 그러더니 "크은 도토리, 자아근 도토리, 저언부 착한 도토리들!" 하는 엉터리 노래와 함께 폴짝폴짝 뛰며 다시 줍기 시작했다. 나는 그 순진무구한 옆얼굴을 보며 죽은 아내의 모든 장점과 단점, 하다못해 도토리를 좋아하는 점이나 종이학을 곧잘 접는 점 같은 것까지 전부 물려받아도 좋지만, 그 시작과 끝이 비참했던 어미의 운명만은 닮지 않기를 바라고 또 바랐다.

どんぐり, 1905

산책,
시간을
물들이다

---

# 밤과 달빛

헨리 데이비드 소로

몇 년 전, 달빛 아래서 기억에 남는 산책을 우연히 하곤 그런 산책을 더 자주 하겠다고, 자연의 또 다른 면과 친해지겠다고 다짐했다. 그리고 그렇게 했다.

플리니우스[1]는 아라비아엔 '달에 따라 흰빛이 늘어났다 줄어드는' 셀레니테스라는 돌이 있다고 했다. 지난 한두 해 동안 쓴 내 일기는 이런 의미에서 셀레니테스적인

---

1 플리니우스(Gaius Plinius Caecilius Secundus, 23~79년경) 로마의 장군, 박물학자. 세계 최초 백과전서라 할 『박물지 *Historia Naturalis*』 37권을 편찬, 티투스 황제에게 헌상했다.

것이었다.

대다수 우리에게 한밤중은 중앙아프리카 같은 것 아닐까? 탐험하고 싶어 하고, 차드호수 기슭을 거슬러 나일강의 발원지를 찾거나 우연히 달의 산맥[2]을 발견하고 싶어 하니 말이다. 그곳에 어떤 풍요로움과 아름다움, 어떤 도덕과 본성이 있을지 누가 알겠는가? 밤의 중앙아프리카에, 달의 산맥에 모든 나일강의 숨겨진 시원始原이 있다. 나일강을 거슬러 올라가는 탐험은 아직 거대한 폭포 혹은 백나일강 하구까지만 이뤄졌으나, 우리의 관심사는 흑나일강이다.

만약 내가 밤의 어떤 영역을 정복한다면, 밤이 한창일 때 우리에게 일어난 일 중 관심을 끌 만한 걸 신문에 기고한다면, 사람들이 잠자는 동안 깨어 있는 밤의 어떤 아름다움을 보여줄 수 있다면, 시의 영역에 한 줄 얹을 수 있다면, 나는 밤의 후원자가 되는 것이다.

밤은 분명 낮보다 고귀하고 덜 세속적이다. 그런데 난, 내가 밤의 겉모습만을 알고 있단 걸 깨달았다. 달이라면 가끔 덧문 틈새로 보았을 뿐이어서다. 왜 달빛을 받으며

---

2   중앙아프리카 우간다에 있는, 원시 자연이 잘 보존된 르웬조리산을 말한다.

잠시 걸어보지 않았을까?

한 달 정도 달이 전하는 말을 가만히 들어보면, 대개는 헛될지라도, 문학이나 종교가 하는 어떤 말과 크게 다르지 않단 걸 알 수 있었을 텐데, 왜 이 산스크리트어를 공부하지 않을까? 만약 달이 시의 세계, 기이한 가르침, 수수께끼 같은 암시와 함께 오고 가는 거라면, 수많은 묵시를 전하는 신성한 존재였는데도 그녀를 활용하지 못한 거라면, 그녀가 가는 걸 보는 것조차 제대로 하지 않은 거라면?

콜리지[3]를 비판하며, 자기는 저 먼 하늘 위에서 봐야만 보이는 게 아니라 어디에서 봐도 보이는 관념을 원한다고 말한 사람은 찰머스[4] 박사였다. 누군가의 말마따나 그런 사람은 결코 달을 쳐다보지 않을 것인데, 그녀는 절대 몸을 돌려 등을 보여주지 않아서다. 지상에서 멀리 떨어져 자신만의 궤도를 도는 관념의 빛을, 어두운 길을 걷는 여행자를 달과 별만큼이나 격려해주고 밝혀주는 그 빛을 그

---

3 새뮤얼 테일러 콜리지(Samuel Taylor Coleridge, 1772~1834) 영국의 시인, 평론가. 합리주의를 비판하고 상상력의 중요성을 강조했다.

4 토마스 찰머스(Thomas Chalmers, 1780~1847) 스코틀랜드의 장로교 목사, 신학자, 사회개혁가, 정치경제학자. 19세기 가장 위대한 스코틀랜드 성직자라 불린다.

런 사람은 당연하다는 듯 비난하거나 달빛살[5]이란 별명으로 부른다. 관념의 빛이 달빛살이라고? 좋다, 그렇다면 비추는 달이 없을 때 밤 여행을 해보라. 가장 작은 별에서 나온 빛이 닿는 것만으로도 감사할 것이다. 별은 우리에게 보이는 만큼만 작거나 크다. 나는 천상의 관념 한쪽 면을, 무지개나 노을빛 하늘의 한쪽 면을 볼 수 있는 것만으로 감사할 것이다.

사람들은 마치 부엉이가 햇살에 대해 말하듯 달빛살을, 그것의 가치를 아주 잘 알고 있는 것처럼 떠들어대고는 달빛살을 비난한다. 달빛살은 햇살과 다르다! 이 단어는 대개 사람들은 이해하지 못하는, 깨어 있으면 충분히 알 수 있음에도 자느라 그 가치를 알지 못하는 무언가를 뜻하는 말이다.

달의 빛은 생각에 잠겨 걷는 사람에겐 그만으로도 충분하고 우리 내면의 빛과도 균형을 이루지만, 해의 빛보다 밝기와 뜨겁기가 몹시 약하다는 건 인정한다. 하지만

---

5 moonshine. 이 글에선 이 단어를 달빛moonlight 및 달의 빛the light of the moon과 구분해 사용하고 있기에 이렇게 표기했다. 다음 단락에 나오는 '햇살'도 일반적인 의미의 그것이 아니라 이 글에서 moonshine의 상대어로 쓰인 sunshine의 번역어로서의 의미를 갖는다.

달은 보내주는 빛의 양으로만이 아니라 지구와 지구에 사는 우리에게 미치는 영향력으로도 평가해야 한다. "달은 지구에 이끌리고, 지구는 화답하듯 달에 이끌린다."[6] 달빛 아래를 걷는 시인은 달빛의 영향 때문이라고 알려진 사유의 밀물과 썰물을 의식한다. 나는 내 머릿속 그 조류를 낮의 산만한 흐름과 구별하려 애쓸 것이다. 내 얘길 듣는 이들에게 당부하건대, 내 생각을 햇빛 비치는 낮의 기준으로 읽으려 하지 말고 내가 밤에 말하고 있음을 깨달으려 애써 달라.

모든 건 어떻게 보느냐에 달려 있다. 드레이크의 『항해기 모음 Collection of Voyages』에서 웨이퍼는 다리엔의 몇몇 백색증 인디언에 대해 이렇게 전한다.[7] "이들은 아주 하얗지만, 그

---

6 전반부 '달은 지구에 이끌리고 The moon gravitates toward the earth'는 뉴턴(Isaac Newton, 1642~1727. 현대 과학의 아버지로 불리는 영국의 과학자)의 표현이고, 후반부 '지구는 화답하듯 달에 이끌린다 the earth reciprocally toward the moon'는 'reciprocally' 대신 'again'이란 단어를 쓰긴 했지만, 로저 코트(Roger Cotes, 1682~1716. 뉴턴의 『프린키피아 Philosophiæ Naturalis Principia Mathematica』 2판 교정을 보고 서문을 쓴 영국의 수학자)의 표현이다.

7 이는 소로의 착각으로 보인다. 라이어넬 웨이퍼(Lionel Wafer, 1640~1705. 웨일스의 탐험가, 해적선 및 사략선의 의사)의 다리엔 지협 Darién Gap 일화가 담긴 이 책은 웨이퍼와 만난 적도 있는 윌리엄 댐피어(William Dampier, 1651~1715. 16세기의 프랜시스 드레이크와 18세기의 제임스 쿡 사이 가장 중요한 영국 탐험가 중 한 명으로 평가받는 탐험가이자 해적선 및 사략선 항해사)가 쓴 책

흰색은 맑고 창백한 유럽인과는 다르고 붉은 혈색과 홍조가 거의 없어 흰 말의 흰색에 가깝다. (……) 눈썹은 우윳빛이고 아주 가는 머리카락도 마찬가지다. (……) 이들은 낮에는 거의 돌아다니지 않는다. 태양과 맞지 않아서인데, 특히 햇살을 받으면 작고 약한 눈에 물이 찬다. 하지만 달빛 아래서는 아주 잘 볼 수 있어 우린 그들을 달 눈이라 부른다."

생각건대, 달빛을 받으며 산책하는 동안엔 우리의 사고에 붉은 혈색과 홍조가 거의 없기에 지적으로나 도덕적으로나 우린 백색증 인간, 그러니까 엔디미온[8]의 자식일 뿐이다. 이것이야말로 달과 많은 대화를 나눈 결과다.

나는 북극 항해기가 끊임없이 이어지는 특유의 음울한 풍경과 북극 밤의 황혼을 충분히 전해주지 못하는 게

이기 때문이다. 아마도 당대 가장 유명한 영국 탐험가 중 하나였을 프랜시스 드레이크(Francis Drake, 1540~1596. 영국인으로서는 최초로 세계 일주를 한 탐험가이자 해적선 및 사략선의 평범한 선원에서 영국 해군 부제독에 오른 인물)에 관한 책을 읽은 기억이 강렬하게 남아 착각한 듯하다. 물론 저자를 드레이크라고 잘못(혹은 고의로) 제시한 책이나 드레이크라는 이름을 가진 또 다른 인물이 웨이퍼의 다리엔 지협 일화 등을 모아 펴낸 동명의 책이 존재했고 이를 소로가 읽었을 수도 있는데, 이런 책에 관한 정보는 찾을 수 없었다.

8 달의 여신 셀레네에게 사랑받은 미소년으로 여신은 그의 아름다움이 퇴색할까 깊은 잠에 빠지게 했고, 이로 인해 삶의 대부분을 잠 속에서 보내야 했다.

불만이다. 마찬가지로 달빛을 주제로 삼은 사람은 힘들더라도 달의 빛만으로 달빛을 묘사해야 한다.

낮에 걷는 이는 많아도 밤에 걷는 이는 적다. 밤에 걷는 건 완전히 다른 계절을 걷는 것이다. 칠월 밤이라고 해보자. 사람들은 잠들고 낮은 완전히 잊힌 열 시경, 소들이 조용히 풀을 뜯는 외로운 목초지 위로 달빛의 아름다움이 펼쳐진다. 사방에 새로운 것들이 나타난다. 태양 대신 달과 별이, 개똥지빠귀 대신 쏙독새가, 초원엔 나비 대신 날개 달린 불꽃 반딧불이가! 이런 걸 생각한 이 누구일까? 불꽃이 사는 이슬 맺힌 거처엔 어떤 멋지고 느긋한 생명이 살까? 마찬가지, 사람의 두 눈과 피, 뇌 속에도 불꽃이 나타난다. 새들의 노래 대신 뻐꾸기가 날며 내는 반쯤 쉰 소리가, 개구리 울음소리가, 귀뚜라미의 강렬한 꿈이, 무엇보다 메인에서 조지아까지 울리는 황소개구리의 멋진 나팔 소리가 들린다. 감자 덩굴이 곧게 서고 옥수수가 무럭무럭 자라며 덤불이 우거지고 곡물이 심긴 들판이 끝없이 펼쳐진다. 그 옛날 인디언이 농사짓던 탁 트인 강변 위를 군대처럼 점령한 채 그것들은 산들바람에 고개를 끄덕인다. 중간중간 범람하는 물에 휩쓸린 듯한 작은 나무들과 관목들이 보인다. 바위와 나무와 관목과 언덕의 그림자가 실제보다 더 또렷하다. 그림자가 땅 위의 미세한 굴곡을 도드라지게 해 발로 밟으면 거의 매끄러운 곳이 거칠고 울퉁불퉁하게 보인다. 그로 인해 전체 풍광도 낮보다 더 다채롭고 아름답다. 바위에 난 제일 작은 구멍은 어두침침한 동굴처럼 보이고 숲속 양치류는 열대의 것 크기로 보인다. 숲길 웃자란 고사리와 낭아초는 이슬로 허리 위까지 걷는 이를 적신다. 관목떡갈나무잎은 액체인 양 반짝인다. 나무 사이로 보이는 물웅덩이들은 하늘만큼이나 빛으로 가득하다. 바다에 대한 『푸라나*Puruna*』[9]의 말처럼 "낮의 빛은 이들의 품으로 피신한다." 하얀 사물들 모두는 낮보다 훨씬 눈에 띈다. 먼 곳 절벽은 산허리 위에서 빛을 뿜어내는 공간처럼 보인다. 숲은 깊고 어둡다. 자연은 자고 있다. 마치 무얼 비출지 달이 골라놓기라도 한 듯, 후미진 숲속 몇몇 그루터기에 달빛이 반사되는 게 보인다. 달이 뿌려놓은 빛의 작은 파편들은 달의 씨앗이라 불리는 식물을 떠올리게 한다.

밤이 되면 두 눈은 반쯤 감기거나 선두에서 물러난다. 다른 감각들이 앞에 나선다. 산책자는 후각의 안내를 받는

---

9  우주의 창조부터 순례지까지 다양한 주제를 아우르는 여러 힌두교 성전의 총칭이다.

다. 이제 모든 식물과 들판과 숲이 각각의 향을 내뿜는다. 풀밭에선 늪진달래 향이, 길에선 쑥국화 향이 난다. 막 수염이 보이기 시작한 옥수수에선 특유의 마른 향이 난다. 청각도 후각과 함께 더 예민해진다. 전에는 알아채지 못했던 졸졸거리는 시냇물 소리가 들린다. 언덕 위 높은 곳에선 이따금 따뜻한 공기층과 만난다. 무더웠던 한낮 평원에서 올라온 한바탕 바람이다. 그 공기는 햇볕이 내리쬐던 정오 무렵과 함께 강둑의 낮, 이마를 닦던 노동자와 꽃 사이를 윙윙거리던 벌의 낮에 관해 들려준다. 그 공기는 일을 끝낼 수 있게 해준, 사람들이 숨 쉬던 공기다. 해가 사라진 지금, 그 공기는 주인을 잃은 개처럼 숲 언저리부터 언덕까지 이곳저곳을 맴돈다. 바위는 빨아들인 태양의 온기를 밤새도록 간직한다. 모래도 마찬가지, 몇 센티미터만 파면 따뜻한 침대를 찾을 수 있다.

한밤중 헐벗은 언덕 꼭대기 풀밭에 놓인 바위에 등을 대고 누워 별이 빛나는 하늘의 높이를 가늠해본다. 별은 밤의 보석이며, 낮이 보여줄 수 있는 모든 걸 능가한다. 바람이 몹시 불었으나 달빛이 밝았던 어느 밤, 별은 거의 없고 희미했던 그 밤, 함께 항해하던 친구는 무척 열악한 상황이긴 하나 별은 절대 실패가 없는 빵과 치즈 같은 것이기에 그만큼의 별이면 괜찮다고 생각했다.

점성술사 중에는 당연하게도 특정한 별과 자신이 관련 있다고 생각하는 이들이 있다. 실베스터[10]가 번역한 글에서 뒤 바르타스[11]는 말한다.

어찌 믿겠는가, 위대한 건축가가
이 모든 불로 하늘의 둥근 천장을 장식한 것이
단순히 보여주기 위해서라는 것을, 이 빛나는 방패로
들판을 지키는 가련한 목동을 깨우기 위해서라는 것을,

어찌 믿겠는가, 수놓은 가장 작은 꽃도
정원 언저리나 마을 강둑을 수놓은 그 꽃도,
어머니 대지의 따뜻한 무릎 속 가장 작은 돌도
어머니 대지가 욕심껏 감싼 그 돌도,
저만의 독특한 가치를 갖고 있는데,
하늘 위 빛나는 별에겐 아무것도 없다는 것을.

---

10   조슈아 실베스터(Josuah Sylvester, 1563~1618) 영국의 시인.
11   기욤 뒤 바르타스(Guillaume de Salluste Du Bartas, 1544~1590) 프랑스의 시인, 외교관, 군인.

월터 롤리 경[12]은 "별은 해가 진 뒤 인간이 바라볼 수 있게 희미한 빛을 전하는 것보다 훨씬 더 큰 가치가 있는 도구다"라 말하곤 플로티노스[13]의 별은 "효율적이진 않지만 중요하다"라는 단언을 인용했다. 아우구스티누스[14] 또한 "신은 하늘에 있는 것들로 땅의 육체를 다스린다"라 말했다. 하지만 다른 작가의 이 표현이 가장 뛰어나다. "농부가 토질을 북돋듯, 현명한 사람은 별들의 일을 돕는다."[15]

잠자는 이들에겐 상관없지만, 여행자에겐 달이 밝게 빛나는지 희미한지가 무척 중요하다. 달빛 환한 밤에 홀로 밖에 있는 때가 많지 않은 한, 달이 막힘없이 비추기 시작

---

12  월터 롤리(Walter Raleigh, 1554~1618) 영국의 시인, 탐험가, 군인. 영국 최초의 미국 식민지 버지니아를 설립했다.

13  플로티노스(Plotinos, 205~270) 로마의 철학자. 신플라톤주의 철학의 창시자로 여겨진다.

14  아우구스티누스(Augustine of Hippo, 354~430) 로마의 기독교 신학자, 철학자. 중세철학과 신학 발전에 크게 이바지했으며 후대 철학자들에게도 심대한 사상적 영향을 끼쳤다.

15  이 글 원문에 라틴어 문장이 병기되어 있어 이를 근거로 확인한바, 여기에서 말하는 다른 작가는 프톨레마이오스(Claudius Ptolemaeus, 100~170년경. 그리스의 수학자, 천문학자, 점술가, 지리학자, 음악가)로 보인다. "현명한 이의 영혼은 별들의 일을 돕는다The soul of the wise man assists the work of the stars"라는 문장이 그의 표현으로 전해지기 때문이다. 다만, 앞 절(농부가 토질을 북돋듯)까지 포함된 문장은 확인하지 못했다. 이 글 원문에는 'The soul of'가 빠져 있다.

할 때 온 땅이 느끼는 평온한 기쁨을 깨닫긴 쉽지 않다. 달은 우릴 대신해 구름과 끊임없이 전쟁을 벌이는 것 같다. 그러나 우린 구름이 달의 적이기도 하다는 상상을 한다. 달은 자신의 빛으로 위험을 부풀리며 나타나 구름의 거대함과 어둠을 한껏 드러내 보여주다가는 갑자기, 숨겨졌던 빛 뒤쪽으로 구름을 던져넣고 자그맣게 열린 맑은 하늘을 따라 의기양양하게 갈 길을 간다.

요컨대, 길을 막는 작은 구름 사이를 가로지르거나 가로지르는 것처럼 보이거나, 때로는 구름에 가려지거나, 때로는 구름을 뚫고 자유로이 빛을 흩뿌리거나 빛나거나 하며 모든 구경꾼과 밤 여행자에게 달밤의 드라마를 선보이는 것이다. 뱃사람들은 이 모습을 두고 달이 구름을 먹는다 표현한다. 여행자는 홀로, 여행자의 동경을 빼곤 달도 홀로 숲과 호수와 언덕 위 구름 함대 전체와의 싸움을 끊임없는 승리로 극복한다. 달이 가려지면 여행자는 인디언들처럼 개를 채찍질해 달을 안심시킬 만큼 달을 동경한다. 달이 천상의 드넓은 들판으로 나가 아무것에도 방해받지 않고 빛을 발하면 여행자는 기뻐한다. 그리고 달이 적의 모든 함대를 뚫고는 아무 탈 없이 맑은 하늘에 장엄하게 떠갈 때면, 더는 길을 막아서는 어떤 장애물도 없을 때면 여행자는 유쾌하고 자신 있게 제 갈 길을 가며 맘속으로 환호한다. 귀뚜라미 또한 노래로 환희를 표현하는 듯하다.

밤이 이슬과 어둠으로 풀죽은 세계를 회복시키지 않는다면 어떻게 낮을 견디겠는가! 그림자가 주변에 모여들기 시작하면 원시적 본성이 일깨워져 우린 슬며시 집 밖으로 나와 정글에 사는 원주민처럼 지성의 천연 먹잇감인 고요하고 진지한 생각을 찾아 나선다.

리히터[16]는 말했다. "새장을 어둡게 하는 것과 같은 이유로, 우리가 어둠의 침묵과 고요 속에서 생각의 드높은 조화를 더 쉽게 깨달을 수 있게 하려 땅은 매일 밤의 장막에 덮인다. 낮에는 연기와 안개로 바뀌는 생각들이 밤에는 우리 주위에 빛과 불꽃으로 서 있듯, 베수비오산 분화구 위에서 요동치는 기둥은 낮에는 구름으로 보이지만 밤에는 불기둥으로 나타난다."

이런 고요하고 장엄하게 아름다운 대기엔 영혼을 치유하고 비옥하게 하는 밤이 있는바, 예민한 사람이라면 이런 밤을 망각에 바치지 않을 것이고, 밖에서 이런 밤을 보낸

---

16   요한 파울 프리드리히 리히터(Johann Paul Friedrich Richter, 1763~1852) 독일의 소설가. 장 파울Jean Paul이란 필명으로 더 잘 알려져 있다.

사람이라면 아마도 좀 더 나아지고 현명해질 것이다. 비록 다음 날 온종일 자는 것으로, 고대인들이 말한 엔디미온의 잠을 자는 것으로 대가를 치러야 할 테지만 말이다. 그리스식 별명 암브로시알[17]이 어울리는 밤, 뿔라의 땅[18]에서처럼 대기는 이슬을 머금은 향과 음악으로 가득 채워지고 우린 휴식을 취하며 꿈을 깨울 때, 태양에 버금가는 달은,

다시 빛나는 광채를 선사하네,
화염을 없애고, 낮보다 더 부드러운 빛을 내뿜네.
이제 그녀는 지나는 구름 사이로 몸을 굽히는 듯하네,
이젠 순수한 하늘색 위로 숭고하게 떠 있네.[19]

디아나[20]는 여전히 뉴잉글랜드 하늘에서 사냥 중이다.

---

17  ambrosial. 신들이 먹는 음식 혹은 음료이자 먹으면 불멸의 능력을 얻게 된다는 암브로시아ambrosia의 형용사형. '신들에게 알맞은'이란 의미로 쓰인다.

18  a land of Beulah. 존 번연(John Bunyan, 1628~1688. 영국의 작가, 설교자)이 쓴 『천로역정Pilgrim's Progress』에 따르면 뿔라의 땅은 천상의 도시 경계에 있는 평화의 장소다.

19  제임스 톰슨(James Thomson, 1700~1725. 영국의 시인)의 시 「가을 아침 Evening In Autumn」 중 일부다.

20  Diana. 로마 신화 속 여신으로 달의 후원자로 여겨진다.

그녀는 하늘 위 둥근 것들의 여왕,

주인답게 모든 걸 깨끗하게 만드네,

자주 변하는 영원을 품고 있네,

그녀는 아름다움 그 자체, 그 아름다움을 훌륭히 견디는.

시간은 그녀를 지치게 하지 않고, 그녀는 시간의 전차를 이끌지,

필멸은 그녀의 궤도 아래 놓이고,

그녀로 인해 별의 고결함은 아래로 미끄러지고,

고결함의 완벽한 형상이 그녀로부터 빚어지지.[21]

힌두교도는 달을 육체적 존재가 다다를 수 있는 최고의 경지에 오른 신성한 존재에 견준다.

고대의 위대한 복원가, 위대한 마법사! 낮에 어떤 건축가를 두었든, 추수의 달이나 사냥의 달이 막힘없이 빛나는 온화한 밤이면 마을 집들은 오직 한 명의 장인만 인정한다. 이제 마을 길은 숲처럼 야생으로 변한다. 새것과 옛것이 혼

---

21 월터 롤리의 시 「디아나의 맑고 순수한 빛을 찬양하다 Prais'd be Diana's Fair and Harmless Light」 중 일부다.

동된다. 성벽 잔해 위에 앉아 있는지, 새로운 성벽을 만들 재료 위에 앉아 있는지 알 수 없다. 자연은 교훈적이고 공정한 교사여서 조잡한 의견을 퍼뜨리지 않고 아첨하지도 않는다. 급진적이지도 않고 보수적이지도 않다. 달빛을 생각해보라, 너무도 문명적이면서 너무도 야만적인 달빛을!

그 빛은 햇빛보다 우리의 인식에 더 잘 맞는다. 보통의 밤도 우리 정신의 타고난 대기보다 더 어둡진 않다. 그리고 달빛은 우리의 가장 빛나는 순간만큼 밝다.

그런 밤에는 밖에 있게 해주오.
날이 밝을 때까지, 다시 모든 게 혼란스러워질 때까지.[22]

낮의 빛이 내면의 새벽을 비추지 않는다면 무슨 의미가 있겠는가? 아침이 영혼에 아무것도 보여주지 않는다면, 밤의 장막이 걷히는 이유는 무엇이겠는가? 그건 단지 지나치게 화려한 눈부심일 뿐.

오시안은 태양을 향한 연설 중 외친다.

---

22 앤 핀치(Anne Finch, 1661~1720. 영국의 시인)의 시 「밤의 몽상A Nocturnal Reverie」 중 일부다.

어둠의 거처는 어디인가?

별들의 동굴 집은 어디인가?

그대가 그들의 발걸음을 재빨리 뒤따를 때,

하늘의 사냥꾼처럼 그들을 쫓을 때,

그대는 숭고한 언덕을 오르고

그들은 비천한 산을 내려오는가?[23]

저 외침 속, 별들과 '동굴 집'에 함께 있지 않고 '비천한 산'을 같이 내려오지 않는 이는 누구인가?

아무려나, 하늘은 밤에도 검지 않고 푸르니, 우리가 지구의 그림자를 통해 햇빛이 한창인 먼 낮의 대기를 볼 수 있어서다.

Night and Moonlight, 1863

---

23 인용 시의 제목은 확인할 수 없었다. 오시안(Ossian, 3세기경)은 아일랜드 신화 속 음유시인으로 제임스 맥퍼슨(James Macpherson, 1736~1796. 스코틀랜드의 시인, 정치가)은 그의 작품을 발견, 현대어로 번역한 것이라며 『핑갈Fingal』(1761), 『테모라Temora』(1763), 『오시안 작품집The Works of Ossian』(1765)을 출간했는데, 당대부터 그 진위가 논란이 되었으며 현재는 수집한 자료를 토대로 맥퍼슨이 쓴 시들이라는 견해가 지배적이다.

# 거리 쏘다니기: 런던 모험기

버지니아 울프

연필 한 자루에 열렬한 감정을 느껴본 사람은 아마 없을 것이다. 그런데 연필을 소유하고 싶다는 열망을 갖는 것이 지극히 마땅한 일이 될 수 있는 상황이 있다. 오후 차[1]와 저녁 식사 사이 런던 절반을 가로지르는 산책의 핑계가 될 만한 걸 갖겠다 결심하는 순간이 그렇다. 여우 사냥꾼이 여우 종족을 보존한다며 사냥을 하듯, 골퍼가 건설업자로부터 공

---

1 tea. 영국에선 이 단어를 '저녁 식사 전 먹는 홍차를 곁들인 간단한 오후 식사'라는 의미가 담긴 '오후 차'를 가리키는 말로도 쓴다.

터를 지킨다며 골프를 치듯, 정처 없이 거리를 걷고 싶을 때 우린 연필을 구실로 일어나며 이렇게 말한다. "정말이지, 연필을 사야 해." 이걸 핑계 삼으면 정처 없는 런던 거리 걷기라는 겨울 도시 생활의 가장 큰 기쁨을 안전하게 탐닉할 수 있다는 듯.

시간은 저녁, 계절은 겨울이어야 한다. 겨울엔 샴페인 빛 공기와 거리의 알은척이 고마워지기 때문이다. 겨울엔 여름처럼 그늘이나 고독, 풀밭에서 불어오는 달콤한 공기를 갈망하며 조롱받지 않아도 된다. 저녁 시간도 마찬가지, 어둠과 전등 불빛이 선사하는, 온갖 책임을 저버린 느낌을 우리에게 전해준다. 우린 더는 우리 자신이 아니다. 네 시에서 여섯 시 사이 청명한 저녁 집을 나서면, 우린 친구들이 아는 자아를 벗어던지고 이름 없는 산책자들로 이뤄진 어마어마한 공화국 군대의 일원이 된다. 딱 자기만의 방에서의 고독 뒤에 나왔을 법한 무리다. 그 방에서 우린 기이한 기질을 끊임없이 드러내며 자기만의 경험에 관한 기억을 강요하는 물건들에 둘러싸인 채 앉아 있다. 가령, 벽난로 선반 위에 놓인 저 그릇은 어느 바람 불던 날 만토바에서 산 것이다. 가게를 나서려는데 한 불길해 보이는 늙은 여자가 치마를 거칠게 잡아당기며 조만간 자기는 굶주리게 될 거라면서 "가져가!" 하고 외치더니, 자신의 터무니없는 관대함을 상기하고 싶지 않다는 듯 푸르고 흰 도자기 그릇을 우리 손에 떠넘겼다. 그리하여 우린 죄책감을 느끼면서도 한편으론 얼마나 많은 돈을 뜯긴 건지 의심하면서 그릇을 들고 작은 호텔로 돌아왔는데 한밤중, 주인이 아내와 심하게 다투기에 구경하려 안뜰 쪽으로 몸을 내미니 기둥 사이엔 포도 덩굴이 늘어져 있고 하늘엔 별들이 하얗게 빛나는 게 보였다. 그 순간은, 무심코 흘려보낸 수만 가지 순간들 사이에 동전처럼 지울 수 없게 고정되고, 각인되었다. 그 순간 속엔 커피잔들이 놓인 작은 철제 테이블들 사이에서 일어나선 여행자들이 그렇게 하듯 영혼의 비밀을 드러내 보이던 우울한 영국인도 있었다. 이탈리아, 바람 부는 새벽, 기둥에 얽힌 포도 덩굴, 영국인과 그의 영혼의 비밀까지, 이 모든 것이 벽난로 선반 위 도자기 그릇으로부터 구름처럼 떠오른다. 그러다 시선이 바다으로 떨어지면 카펫 위 갈색 얼룩이 보인다. 로이드 조지[2] 씨가 만든 얼룩이다. 커밍스[3] 씨가 "그자는 악마야!" 하

---

2 데이비드 로이드 조지(David Lloyd George, 1863~1945) 웨일스 태생의 정치인, 전 영국 총리.

3 아서 존 커밍스(Arthur John Cummings, 1882~1957) 영국의 언론인, 정치 평론가.

고 외치며 찻주전자를 채우려던 뜨거운 물 주전자를 카펫 위에 내려놔 생긴 동그랗게 탄 그 갈색 자국.

하지만 문이 닫히는 순간 모든 게 사라진다. 우리 영혼이 자신을 보호하고 다른 이들과 구별되는 형태를 만들려 분비한 굴 껍데기 같은 덮개는 부서지고, 그 주름지고 거친 껍데기의 중심인 지각知覺이라는 굴, 거대한 눈만 남는다. 겨울 거리는 얼마나 아름다운가! 거리는 드러나 있으면서 동시에 숨어 있다. 여기선 문과 창문이 좌우대칭으로 곧게 늘어선 거리를 어렴풋이 더듬을 수 있다. 여기 가로등 밑엔 빛을 내며 빠르게 지나는 남자와 여자들이, 모든 가난과 초라함에도 불구하고 삶을 따돌렸다는 듯한 비현실적인 표정과 승리의 기운이 서려 먹잇감에 속은 삶을 저 홀로 서성이게 하는 남자와 여자들이 만드는 창백한 빛의 섬들이 뜬다. 그렇지만, 그럼에도 우린 수면 위를 부드럽게 미끄러질 뿐이다. 눈은 광부도, 잠수부도, 묻힌 보물을 찾는 수색자도 아니다. 눈은 흐름을 따라 우릴 부드럽게 떠내려 보낸다. 눈이 보는 동안, 뇌는 쉬이든 멈춤이든 잠잘 것이다.

불빛의 섬들과 기다란 어둠의 숲이 있는, 한쪽엔 나무 몇 그루가 드문드문 서 있고 편안한 잠을 위해 밤이 몸을 접은 풀이 무성한 공간이 있는, 철제 난간을 지날 때면 주변 들판의 고요함을 의식한 듯한 나뭇잎과 나뭇가지의 작은 흔들림 소리와 바스락거림이 들리는, 부엉이가 울고 저 멀리 계곡에선 덜컹대는 기차 소리가 들려오는 저녁 무렵 겨울 런던 거리는 얼마나 아름다운가. 하지만 우린 돌이킨다, 여긴 런던이라고. 헐벗은 나무들 사이 높게 매달린 붉노란빛 직사각 틀은, 창문이다. 낮게 뜬 별처럼 꾸준히 타오르는 빛나는 점들은, 가로등이다. 시골스러움과 시골의 평화로움을 품은 이 텅 빈 땅은, 런던 광장일 뿐이다. 이 시간에도 지도 위로, 서류 위로, 사무원들이 젖은 집게손가락으로 끝없는 보고서 파일을 넘기며 앉아 있는 책상 위로 맹렬한 불빛이 타오르는 사무실과 집들에 둘러싸인. 또는 어느 거실의 은밀함과 그곳 안락의자들, 신문들, 도자기들, 무늬가 새겨진 탁자, 그리고 넣어야 할 차의 정확한 스푼 수를 정밀하게 측정하는 한 여인의 형상 위로 그보다 가득하게 난로 불빛이 흔들리고 등불이 쏟아지는. 여인은 아래층에서 울리는 벨 소리와 누군가 '사모님 계세요?' 하고 묻는 걸 들은 양 문을 바라본다.

    하지만 여기서 단호히 멈춰야 한다. 눈에 보이는 것보다 더 깊이 파고들 위험이 있기에. 매끄럽게 흐르던 우리의 흐름을 나뭇가지나 뿌리를 붙잡아 늦추는 것이기에. 언제라도 잠자던 군대가 스스로 몸을 일으켜선 우리 안에 있는 수천 대의 바이올린과 트럼펫을 깨워 답할 수 있기에. 그 인간 군대가 스스로를 일깨워 모든 기이함과 고통, 추악함을 역설할 수 있기에. 우리 조금 더 꾸물거리자. 표면적인 것에만 계속 만족하자. 소형 버스의 반질반질한 광택, 노란 옆구리살과 선홍빛 스테이크용 살이 걸린 정육점의 관능적 찬란함, 꽃집 판유리 창 너머 몹시도 화려하게 타오르는 붉고 푸른 꽃송이들 같은 것에만.

나비가 색깔만을 찾고 따뜻한 데서만 해를 쬐듯, 눈은 아름다운 것에만 머무는 기이한 기질을 갖고 있다. 이런 겨울밤, 자연이 저를 가다듬고 단장하느라 애쓰는 이때, 눈은 가장 아름다운 트로피들을 되찾고, 온 세상이 보석으로 만들어진 양 에메랄드와 산호의 작은 덩어리들을 떼어낸다. (전문적이 아닌 평범한) 그 눈이 할 수 없는 일은 이 트로피들을 더 모호한 관점이나 관계가 드러날 수 있게 꾸미는 것이다. 그렇기에 이 단순하고 달콤한 음식을, 순수하고 꾸밈없는 아름다움을 오래 먹고 나면 물리게 된다. 우린 신발 가게 문 앞에 멈춰 서선, 물려서란 진짜 이유와는 아무 상관 없는 약간의 핑계를 만들어낸다. 거리의 빛나는 것들을 접어두기 위한, 왼발을 받침대에 고분고분 올리며 "그렇다면 난쟁이가 돼보는 건 어때?" 하고 물을 수 있는 존재의 더 어둑한 어떤 방으로 철수하기 위한.

여인은 두 여성의 호위를 받으며 들어왔는데, 보통 체구의 여성들이었지만 그녀 옆에선 마치 자비로운 거인처럼 보였다. 여점원들에게 미소를 짓고 있는 두 사람은 기형엔 조금도 개의치 않고 여인의 호위에만 전념하는 사람들처럼 보였다. 여인은 기형인의 얼굴에서 으레 드러나는 언짢은 듯하면서도 미안해하는 듯한 표정을 지었다. 그녀는 그들의 친절이 필요했지만, 한편으론 언짢았던 것이다. 하지만 거인들이 여점원을 불러내선 관대한 미소를 지으며 '이 숙녀분'에게 신발을 보여달라 하고 여점원이 작은 받침대를 여인 앞으로 밀어주자, 난쟁이는 모두의 시선을 끌려는 듯 한쪽 발을 급하게 내밀었다. 이것 봐! 이것 봐! 여인은 발을 내밀며 정상적으로 자란 여성의 잘 생기고 완벽하게 균형 잡힌 발을 보라고 모두에게 요구하는 듯했다. 아치형의 귀족적인 발이었다. 받침대 위에 놓인 발을 바라보는 여인은 모든 모습이 달라졌다. 평온하고 만족스러워 보였다. 태도는 자신감으로 가득 찼다. 여인은 이 신발, 저 신발을 가져오라 해선 한 짝, 한 짝 신어봤다. 노란색 신발, 황

갈색 신발, 도마뱀 가죽 신발을 신고 일어나선 발만 비추는 거울 앞에서 발끝을 세워 돌아봤다. 짧은 치마를 들어 올려 짧은 다리를 내보이기도 했다. 여인은 마침내 사람 몸 전체에서 가장 중요한 부위는 발이라는 생각을 했다. 여성들은 발만으로 사랑받아왔다고 중얼거렸다. 오직 발만 보면서, 여인은 몸의 나머지 부위도 이 아름다운 발과 같으리라 상상했을 것이다. 허름한 옷차림이었지만, 여인은 신발에 아낌없이 쓸 준비가 돼 있었다. 남들 이목이 두렵긴 했지만, 이때만이 시선을 끌 확실한 기회였기에 여인은 어떤 수단을 써서든 신발을 고르고 신어보는 시간을 늘려볼 준비도 돼 있었다. 내 발 좀 봐, 여인은 이쪽으로 한 걸음 저쪽으로 한 걸음 내디디며 그렇게 말하는 듯했다. 여인의 얼굴이 황홀한 듯 밝아진 건 여점원이 어떤 아첨을 기분 좋게 해서가 분명했다. 하지만 아무리 자비롭다 해도 여성 거인들에겐 할 일이 있었고 그 일을 처리해야 했기에 여인은 결국 마음을 정해야 했고, 어느 쪽을 선택할지 결정해야 했다. 마침내 한 켤레를 고른 여인이 손가락에 낀 꾸러미를 흔들며 두 호위자 사이로 걸어 나가자 황홀함은 사라졌고, 인식이 돌아왔으며, 예전의 언짢음과 미안해함도 되돌아와 다시 거리에 이르렀을 무렵엔 여인은 그저 난쟁이가 되어 있었다.

그뿐 아니라 여인은 거리의 분위기를 바꿔버렸다. 그녀를 쫓아 거리로 나섰을 때 여인은 등이 굽은 사람들, 몸이 뒤틀린 사람들, 불구인 사람들이 실제로 빚어진 듯한 공간을 창조해냈다. 형제로 보이는 눈이 아주 먼 수염 난 두 남자가 둘 사이 작은 소년의 머리에 손을 얹어 의지한 채 나란히 거릴 걷고 있었다. 둘은 눈먼 사람만의 단호하면서도 떨리는 걸음걸이로 다가왔는데, 이 다가옴엔 그들을 덮친 심각한 공포와 운명의 불가피성이 담긴 것 같았다. 이 작은 호송대는 꼿꼿한 걸음으로 지나가며 침묵과 확고함, 재앙의 힘으로 지나치는 사람들을 뿔뿔이 흩어놓는 것 같았다. 실은, 난쟁이가 절뚝이며 기괴한 춤을 추기 시작했는데 이젠 거리의 모든 사람이 그녀를 따라 춤을 추고 있었다. 반짝이는 물개 가죽으로 꽉 끼게 몸을 감싼 퉁퉁한 부인, 지팡이 손잡이를 빨고 있는 지적 장애 소년, 인간 참상의 부조리함에 문득 압도된 양 문간에 쪼그리고 앉아 쳐다보던 노인 모두 난쟁이의 절뚝이며 탁탁대는 춤에 합세했다.

누군가는, 이들 절뚝이는 망가진 무리와 눈먼 이는 어느 틈새 어떤 구석진 곳에서 살아왔는가? 물을 수 있다. 아마도 여기 홀본과 소호 사이 좁고 오래된 집들 옥탑방에선 몹시 괴상한 이름을 가진 사람들이 금박 제조공, 치마 아코디언주름잡이, 단추 덮개 달이 같은 몹시 별난 갖가지 직업을 갖고 살고 있거나 받침대 없는 찻잔, 도자기 우산 손잡이, 채색이 잘된 순교 성인의 초상화 같은 좀 더 별난 것들을 밀거래하며 생계를 꾸리고 있을지 모른다. 그곳에 살며, 물개 가죽 재킷을 입은 여인은 치마 아코디언주름잡이나 단추 덮개 달이와 하루를 보내면서 삶이 견딜만하다고 여길 것이다. 이렇게 기상천외한 삶이 완전한 비극일 순 없다. 우린 그들이 우릴 시샘하지 않는다 생각하면서 우리가 누리는 걸 음미한다. 하지만 모퉁이를 돌다 굶주린 채 비참한 표정을 짓고 있는 수염 기른 거친 유대인을 갑작스레 만나거나, 죽은 말이나 당나귀를 급하게 가려둔 것처럼 망토가 덮인 채 공공건물 계단에 버려진 듯 내팽개쳐진 늙은 여인의 굽은 몸을 지나칠 때가 있다. 그런 광경 앞에선 등줄기가 곧게 서는 듯하고, 갑작스런 섬광이 눈 속을 휘젓는 듯하면서 결코 답할 수 없는 질문이 떠오른다. 이 버려진 사람들은 거의 대개 극장에서 그리 멀지 않은 곳을, 바퀴 달린 길거리 오르간 소리가 들리는 곳을, 밤이 깊어가면서는 음식을 먹으러 가는 사람들과 무희들의 금속 박힌 망토와 반짝이는 다리가 닿는 곳을 골라 눕는다. 그들은 문 앞에 누운 노파, 눈먼 남자, 절뚝이는 난쟁이의 세계와 함께

도도한 백조의 금박 입힌 모가지가 받친 소파, 색색의 과일이 담긴 바구니가 새겨진 테이블, 멧돼지 머리 무게를 지탱하기 위해 녹색 대리석으로 마감한 장식장, 너무 오래돼 카네이션 문양이 거의 사라져 담녹색 바다가 된 너무 오래된 카펫이 진열된 상점 창문 가까이에도 눕는다.

    지나치듯 흘끗 보면 모든 것이 우연히, 하지만 기적처럼, 아름다움이 흩뿌려진 듯 보인다. 옥스퍼드 거리 기슭에 그리도 정확하고 무료하게 물건을 내려놓는 교역의 물결이 오늘 밤엔 오직 보물만을 부려놓은 것처럼. 살 생각이 없으면 눈은 마냥 신나고 후하다. 눈은 창조하고 장식하고 멋지게 만든다. 거리에 서서 상상 속 집을 만들어선 소파와 탁자, 카펫으로 모든 방을 맘껏 꾸밀 수 있다. 저 깔개는 거실에 어울리겠어. 저 설화석고 그릇은 창가에 둔 조각이 새겨진 테이블에 올려둬야지. 저 두껍고 둥근 거울엔 우리의 즐거운 술자리가 비칠 거야. 집을 짓고 꾸미긴 하지만 이 일엔 행복하게도 소유의 의무는 없다. 눈 한 번 깜박이면 철거할 수 있고 다른 집을 지어 다른 의자와 거울로 꾸밀 수 있다. 아니면 골동품 보석상, 반지가 담긴 쟁반과 매달린 목걸이 사이로 우릴 빠뜨릴 수도. 예컨대 거기 진주를 고른 뒤, 그걸 걸면 우리 삶이 어떻게 바뀔지 상상해보자. 그 즉

시 새벽 두 시에서 세 시 사이가 되고 메이페어의 텅 빈 거리엔 가로등이 하얗게 타오른다. 자동차만 다니는 이 시간엔 공허함과 상쾌함과 고립의 흥분이 느껴진다. 진주를 걸고 비단옷을 걸친 채, 잠든 메이페어 공원이 내려다보이는 발코니로 나선다. 궁정에서 돌아온 지체 높은 귀족들, 실크 스타킹을 신은 하인들, 정치가에게 압력을 행사하는 귀부인들의 침실엔 몇 개의 불이 켜 있다. 고양이 한 마리가 정원 담을 따라 살금살금 걸어간다. 짙은 녹색 커튼 뒤 방 한쪽 좀 더 어두운 데선 은밀하고 매혹적인 구애가 이어진다. 영국의 주와 군이 햇볕을 쬐고 있는 곳인 양 테라스 아래를 산책하듯 차분히 걸으며 늙은 총리는 에메랄드빛이 도는 곱슬머리의 무슨 무슨 부인에게 심각한 국정 위기 실화를 들려준다. 우린 가장 큰 배의 가장 높은 돛대 꼭대기에 올라탄 것 같지만 동시에 이런 유의 것들은 중요하지 않다는 걸, 사랑은 그렇게 증명되지 않고 위대한 업적도 그렇게 완성되지 않는다는 걸 알기에 발코니에 서 메리[4] 공주의 정원 담을 따라 살금살금 걷는 달빛 비치는 고양이를 바

---

4 빅토리아 알렉산드라 앨리스 메리(Victoria Alexandra Alice Mary, 1897~1965)를 가리킨다. 그녀는 조지 5세와 메리 여왕의 외동딸이자 에드워드 8세와 조지 6세의 여동생이며, 엘리자베스 2세의 이모다.

라보며, 그 순간을 즐기며 가볍사리 상상의 깃털을 다듬을 뿐이다.

하지만 이보다 더 터무니없는 일이 있을까? 실은 지금은 정각 여섯 시고, 겨울 저녁이며, 우린 연필을 사러 스트랜드 거릴 향해 걷고 있다. 그러니 어떻게 유월에 진주를 걸고 발코니에 있을 수 있겠는가? 이보다 더 터무니없는 일이 있을까? 그러나 이건 자연의 어리석음이지 우리의 어리석음이 아니다. 자연은 제 걸작인 인간을 만들 때 한 가지만 생각했어야 했다. 그러긴커녕 고개를 돌려 어깨너머를 살피느라 저가 만들려던 본래 존재와는 전혀 맞지 않는 본성과 욕망이 우리 각자에게 기어들게 했고, 이로 인해 우린 줄무늬가 생기고 모든 게 뒤섞여 얼룩덜룩해지고 말았다. 색도 바랬다. 인도 위에 서 있는 일월의 이 내가 진짜 나인가, 아니면 발코니에서 몸을 굽힌 유월의 그 내가 진짜 나인가? 나는 여기에 있는가, 아니면 저기에 있는가? 아니면 진정한 나 자신은 이것도 저것도 아니고, 여기도 저기도 없는 너무도 다양하고 종잡을 수 없는 어떤 것이어서 원하는 것을 하게 고삐를 내주고 방해 없이 제 갈 길을 가게 할 때야 비로소 우린 진정한 우리 자신이 되는 것일까? 처한 환경이 통일체를 요구하기에 인간은 편의상 모든 게 돼야 한다. 저녁에 문을 여는 선량한 시민은 은행가, 골퍼, 남편, 아버지여야 하는 것이다. 그렇대도 사막을 떠도는 유목민, 하늘만 바라보는 신비주의자, 샌프란시스코 슬럼가의 탕아, 쿠데타를 도모하는 군인, 회의와 고독으로 울부짖는 부랑자여선 안 된다. 문을 열었을 때, 그는 다른 이들처럼 머릴 정돈해야 하고 우산꽂이에 우산을 넣어야만 한다.

어쨌거나 여긴, 때마침 헌책방이다. 여기서 우린 존재의 이런 심술궂은 흐름 속에서도 정박지를 찾는다. 여기서 우린 거리의 화려함과 비참함을 거친 우리 자신을 추스른다. 문에 가려진 채, 잘 타오르는 석탄불 곁에 앉아 난로망 위에 두 발을 얹고 있는 서점 주인 아내의 모습은 차분하고 생기가 넘친다. 그녀는 책은 전혀 읽지 않고 신문만 읽는다. 책 파는 일을 벗어나면 신나서 하는 게 모자에 관한 얘기다. 그녀 말로는, 그녀가 모자를 좋아하는 건 아름답기만 하지 않고 실용적이기도 해서다. 아, 아니, 그들은 서점에서 살진 않는다. 브릭스턴에 산다. 녹색 식물도 좀 보고 살아야 한다며. 여름이면 부인이 정원에서 키운 꽃이 병에 꽂힌 채 먼지 쌓인 책더미 위에 놓여 서점에 활기가 돈다. 책은 어디에나 있고, 늘 변함없는 모험심을 채워준다. 헌책은 야생의 책, 집 없는 책이다. 얼룩덜룩한 깃털의 거대한 무리로 모여 있는데, 도서관의 길들여진 책에는 없는 매력이 있다. 게다가 운이 좋으면 이 형형색색의 불특정한 동행자 속에서 세상에 둘도 없는 친구가 될 완전히 낯선 이방인과 맞닥뜨릴 수도 있다. 허름하고 버려진 듯한 느낌에 이끌려 위쪽 서가에서 회백색 책 한 권을 꺼내 들면 항상, 백여 년 전 잉글랜드 중부와 웨일스의 양털 시장을 탐험하려 말을 타고 나선 한 남자를 만나리라는 희망을 품는다. 여관에 머물렀고, 반 리터짜리 맥주를 마셨고, 어여쁜 소녀들과 진지한 풍속에 주목했던 이 이름 모를 여행자는 순전히 자신이 좋아서 (이 책은 자비로 출판됐다) 그 모든 걸 우직하게 열심히도 기록해두었다. 엄청나게 산문적이고, 장식적이며, 사실적이어서 글쓴이도 모르는 새 접시꽃 향과 건초 냄새가 그의 초상화에 스며들게 했기에 그는 마음속 난롯가 따뜻한 구석에 영원한 자리를 얻었다. 이 책은 18펜스면 살 수 있을 것이다. 3실링 6펜스라 적혀 있지만, 서점 주인 아내는 표지가 얼마나 낡았는지, 서쪽에 있는 한 신사의 서재에서 구매한 뒤 얼마나 오래 거기 꽂혀 있었는지 알기에 그냥 넘어가 줄 것이다.

    이처럼 서점을 둘러보다 보면, 예를 들면, 역시나 작가의 초상화가 담긴 매우 선명하게 인쇄되고 몹시 정교하게 판각된 그 평범한 시집이 자신의 유일한 작품인, 모르는 이이자 사라진 이와 또 다른 갑작스럽고 변덕스런 우정을 맺게 된다. 그가 시인이었기에, 물에 빠져 요절했기에, 온건하고 형식적이며 설교적인 그의 시가 마치 코듀로이 재킷을 입은 나이 든 이탈리아 손잡이 오르간 연주자가 어느 뒷골목에서 체념한 듯 연주하는 손잡이 오르간 소리 같은 끊어질 듯 가냘픈 음을 전해주기에. 서점엔 여행자들이 줄을 잇는데, 빅토리아 여왕이 소녀였을 시절 그리스에서 감내했던 불편과 감탄을 자아냈던 일몰에 대해 여전히 증언 중인 꿋꿋한 독신녀들도 있다. 주석 광산 방문을 곁들인 콘월 여행은 방대한 기록으로 남길 가치가 있다고 여겼다. 라인강을 천천히 거슬러 오르며 먹으로 서로의 초상화를 그려주고, 갑판 밧줄 뭉치 옆에 앉아 책을 읽던 사람들은 피라미드를 측량했고, 오랜 세월 문명을 잊고 살았으며, 역병의 늪에 살던 흑인들을 개종시켰다. 짐을 싸 떠나고, 사막을 탐험하다 열병에 걸리고, 인도에 정착해 평생을 살고, 심지어 중국까지 잠입했다가 돌아와선 에드먼턴에서 교구를 이끄는 이런 이야기들이 먼지투성이 바닥 위에서 불안한 바다처럼 출렁이고 들까불면, 문 바로 앞까지 닥친 그 일렁임에 영국인은 몸 둘 바를 모른다. 그 여행과 모험의 물결은 서점 바닥 위에 들쭉날쭉한 기둥으로 서 있는 진지한 노력과 평생의 노고로 이뤄진 섬들에도 불현듯 나타난다. 뒷면에 작가의 머리글자가 금박으로 새겨진 암갈색 제본 책더미에선 생각이 깊은 성직자가 복음서를 해설하고, 학자들이 저마다의 망치와 끌로 에우리피데스와 아이스킬로스의 고문古文을 명료하게 쪼아내는 소릴 들려준다. 생각하기와 주석 달기와 설명하기는 우리 사방에서 엄청난 속도로 계속되고 있고, 끊임없이 규칙적으로 밀려드는 밀물처럼 모든 것을 덮어 옛 허구의 바다를 씻어버리고 있다. 셀 수 없는 책들이 아서가 어떻게 로라를 사랑했는지, 어떻게 둘이 헤어졌고 불행했는지, 어떻게 다시 만났고 평생 행복했는지 들려준다. 빅토리아 여왕이 이 섬들을 지배했던 그때 그 방식으로.

세상엔 무수히 많은 책이 있고, 우린 거리에서 지나치듯 들은 한 단어와 우연히 만난 한 구절로 평생을 꾸며내듯, 힐끔힐끔 보며 끄덕거리다 갑작스러운 이해의 섬광에 대해 잠깐 말하고 옮겨가라 강요받는다. 그들이 케이트라는 여자에 관해 이야기한다. "어젯밤에 단도직입으로 그녀에게 말했거든. 내가 1페니짜리 우표만 한 가치도 없다고 생각한다면, 나는 말이야……." 하지만 케이트가 누구인지, 1페니짜리 우표가 그들 우정의 어떤 위기를 의미하는지 우린 절대 알 수 없다. 그들의 열띤 수다 아래로 케이트가 침몰했기 때문이고, 이곳 거리 모퉁이 가로등 아래서 두 남자가 의견을 나누는 장면이 인생이란 책의 또 다른 페이지를 펼쳐줘서다. 둘은 호외에 실린 뉴마켓[5] 속보를 분석하고 있다. 그렇다면 저들은 언젠간 행운이 자신들의 누더기를 모피와 양모로 바꾸고, 시곗줄을 채워주고, 지금은 찢어진 누더기 셔츠에 다이아몬드 핀을 달아줄 거라 기대하는 걸까? 하지만 이 시간대 걷는 이들 대부분은 휩쓸리듯 너무 빨리 지나가 이런 질문을 던져볼 수 없다. 일터에서 집으로 가는 짧은 여정 속 그들은 책상에서 해방돼 두 뺨에 신선한 공기를 맞고 있는 지금, 어떤 몽롱한 꿈에 싸여 있다. 그들은 온종일 걸어두고 열쇠로 가둬둬야 했던 화사한 옷을 걸친 채 위대한 크리켓 선수, 유명한 여배우, 꼭 필요할 때 조국을 구한 군인이 된다. 꿈꾸며, 손짓하며, 때로 몇 단어를 소리내 중얼거리며 스트랜드 거리를 휩쓸리듯 지나 워털루 다리를 건넌 그들은 거기서 반스 혹은 서비톤에 있는 작고 깔

---

5 경마로 유명한 도시다.

끔한 집으로 향하는 흔들거리는 긴 기차에 몸을 던질 터인데, 집 복도에서 보이는 시계와 지하방에서 올라오는 저녁 냄새는 그 꿈들에 구멍을 낼 것이다.

어찌 됐든 우린 이제 스트랜드 거리에 도착했고, 길가에서 머뭇거리는 동안 손가락 길이만 한 막대가 삶의 속도와 풍요로움에 빗장을 건다. "정말 해야 해, 정말 꼭 해야 해." 바로 그것이다. 그 요구를 헤아리지 않으면 정신은 익숙한 폭군에 움츠러들게 된다. 사람은 반드시, 언제나 반드시 무언가를 해야 한다. 그저 즐기는 건 허락되지 않는다. 아까 우리가 핑곗거리를 꾸며낸 게, 무언가를 사야 할 필요성을 만들어낸 게 그 때문 아니었던가? 그런데 그게 뭐였지? 아, 생각났다. 연필. 이제 가서 연필을 사자. 그러나 그 명령에 복종하려 할 때 또 다른 자아가 나타나 폭군이 주장하는 권리에 이의를 제기한다. 일상적인 불화가 시작된다. 우린 의무의 막대 뒤로 펼쳐진 넓고 슬프고 평화로운 템스강 강폭 전체를 바라본다. 세상 근심 하나 없이 여름 저녁 강둑에 기대선 어떤 이의 눈을 통해. 연필 사는 일은 잠시 미루자. 이 사람을 찾아가 보자. 그러면 이내 이 사람이 우리 자신이었음이 드러난다. 여섯 달 전 그 자리에 설 수 있다면, 우린 다시 그때처럼 평온하고 초연하고 만족스러울 수 있지 않을까? 그럼 시도해보자. 하지만 강은 우리가 기억하는 것보다 더 거칠고 더 잿빛이다. 물살은 바다를 향해 흘러간다. 물살은 방수포 아래 건초 더미를 단단히 묶어 실은 바지선 두 척과 예인선을 함께 끌고 내려간다. 우리 가까이, 난간에 기댄 또 한 쌍이 있다. 사랑에 빠진 이들이 그렇듯 이상스러운 자의식 결여가 있는, 자기들 연애의 중요성이 인류의 관용을 당연하게 요구할 수 있게 해준다는 듯한. 지금 우리가 보는 광경과 듣는 소리는 여섯 달 전 만큼의 질을 조금도 갖고 있지 않다. 여섯 달 전, 지금 서 있는 바로 이 자리에 서 있던 사람의 평온함도 느낄 수 없다. 그의 것은 죽음의 행복이고, 우리의 것은 생의 불확실함이다. 그에게는 미래가 없고, 그 미래는 심지어 지금도 우리의 평화를 침범하고 있다. 과거를 바라보고 불확실한 요소들을 제거했을 때만 우린 완벽한 평화를 누릴 수 있다. 그러니 우린 돌아서야 하고, 다시 스트랜드 거리를 가로질러야 하며, 이 시간에도 우리에게 연필을 팔 준비가 돼 있는 문구점을 찾아야 한다.

　새로운 방에 들어서는 일은 언제나 모험이다. 공간 주인의 삶과 성격이 증류된 채 스며 있어서고, 이로 인해 감정의 새로운 파도를 직접적으로 맞닥뜨리게 되어서다. 의

심할 여지 없이, 이 문구점에선 사람들이 싸웠다. 그들의 분노가 공기를 뚫고 발사됐다. 두 사람 다 멈췄고, 나이 든 부인은 (분명 두 사람은 부부다) 뒷방으로 물러났다. 둥근 이마와 동그란 눈이 엘리자베스 시대 대형 2절판 책 몇몇 권의 권두 삽화에 잘 어울릴 법한 나이 든 남자는 우릴 응대하려 남았다. "연필, 연필이요." 그는 되뇌었다. "그럼요, 물론이지요." 그는 감정의 최고조에 있다 억눌린 사람만의 심란하면서도 과장된 어조로 말했다. 그는 상자를 하나씩 열었다 다시 닫는 일을 시작했다. 그는 너무 많은 품목을 취급하기에 물건 찾기가 몹시 어렵다고 말했다. 그는 아내의 행동으로 인해 깊은 수렁에 빠진 어떤 법률가 얘기로 나아갔다. 그는 오랫동안 그 사람을 알고 지냈고, 그 사람이 반세기 동안 템플[6]과 인연을 이어왔다며 마치 뒷방에 있는 아내가 엿들었으면 하는 눈치로 말했다. 그는 고무줄 상자를 뒤엎었다. 자신의 무능함에 화가 치민 그는 마침내, 여닫이문을 밀치며 거칠게 외쳤다. "연필 어디 뒀소?" 마치 부인이 연필을 숨겨뒀다는 듯. 나이 든 숙녀가 들어왔다. 그녀는 아무도 쳐다보지 않은 채 올바른 엄정함이 담긴 훌

---

6 런던의 법률 지구다.

륭한 자태로 손을 뻗어 정확히 상자를 찾아냈다. 거기엔 연필이 있었다. 그녀가 없었다면 그는 어떻게 했을까? 그에게 그녀는 없어서는 안 될 존재 아닌가? 애써 중립을 지키며 나란히 서 있는 두 사람을 더 붙잡아두기 위해 연필 선택에 까탈을 부렸다. 이건 너무 무르고, 저건 너무 단단하네요. 두 사람은 조용히 바라보며 서 있었다. 서 있는 게 길어질수록 두 사람은 점점 차분해졌고, 열이 내리고 분노가 사그라들었다. 이젠, 말 한마디 나누지 않고 다툼이 종결됐다. 벤 존슨[7] 작품 표제지를 망치지도 않았을 얼굴의 나이 든 남자는 상자를 제자리에 가져다 두곤 우릴 향해 머릴 깊이 숙여 저녁 인사를 건넸다. 그리고 두 사람은 모습을 감췄다. 그녀는 반짇고리를 꺼낼 것이다. 그는 신문을 읽을 것이다. 카나리아는 둘에게 공평하게 씨를 뿌릴 것이다.[8] 싸움은 끝났다.

 유령을 찾아다니고, 다툼을 수습하고, 연필을 산 그 몇

---

7   벤저민 존슨(Benjamin Jonson, 1572~1637) 영국의 극작가, 시인. 1616년 계관시인이 되었다.

8   카나리아제도가 원산지인 노란 깃털의 작은 새 카나리아는 탄광의 이상 징후를 포착해 알리는 위험경고자 역할로 잘 알려져 있다. 여기선 노부부의 다툼 전조를 알리는 공평한 중간자 역할로 쓰인 듯하다.

분 새 거리는 완전히 텅 비었다. 삶은 꼭대기 층으로 물러났고 전등이 켜졌다. 인도는 마르고 단단했다. 도로는 망치로 두드린 듯한 은빛이었다. 황량함을 뚫고 집을 향해 걸으며 난쟁이, 눈먼 사람, 메이페어 저택의 파티, 문구점에서 일어난 다툼 얘길 내게 들려줄 수 있었다. 이들 각각의 삶 속으로 조금 더 뚫고 들어가면, 이들 중 어느 하나의 마음에도 얽매이지 않는 환영을 만들 수 있을 만큼 충분히 깊이 들어가면, 잠시나마, 일시적으로 다른 이들의 몸과 정신을 입어볼 수 있을 것이다. 여자 빨래꾼, 선술집 주인, 길거리 가수가 될 수도 있다. 나라는 존재의 곧게 뻗은 길에서 떠나는 것보다, 거기서 벗어나 가시덤불과 굵은 나무 둥치 아래로 이어지는 오솔길로 들어서 야생의 짐승, 우리 인간 동료들이 사는 숲 한가운데로 들어가는 것보다 더 큰 기쁨과 경이가 있을 수 있을까?

    그렇다. 탈출은 가장 큰 기쁨이다. 겨울 거리 쏘다니기는 최고의 모험이다. 그럼에도 다시 문 앞 계단에 다다랐을 때 익숙한 소유물과 오래된 편견이 우릴 감싸 안는 걸 느끼면 위안이 된다. 그러면 수많은 길모퉁이를 휘달렸던, 도달할 수 없는 수많은 전등 불빛 앞 나방처럼 두들겨 맞았던 자아는 보호받고 보살핌에 에워싸인다. 여기 다시 익숙한

문이 놓였다. 여기 우리가 떠났을 때 돌려놓은 의자가 있고, 도자기 그릇과 카펫 위 동그란 갈색 자국이 있다. 그리고 여기, (이걸 자세히 들여다보고 경건히 어루만져보자) 도시의 온갖 보물 중 우리가 되찾은 유일한 전리품인 연필 한 자루가 있다.

                    Street Haunting: a London Adventure, 1927

# 센 강변 사람들

어니스트 헤밍웨이

카르디날 르무안 거리 꼭대기에서 강으로 내려가는 길은 여러 갈래였다. 제일 짧은 길은 곧장 내려가는 길이었지만 가파른 데다, 평지로 내려와 생제르맹대로 초입 차들로 복잡한 길을 건너면 오른편에 와인 시장을 낀, 황량하고 바람 많은 강둑이 있는 재미없는 길과 맞닥뜨려야 했다. 그곳은 파리의 여느 시장과 달리 세금을 내지 않기 위해 와인을 모아둔 보세창고 같은 곳으로 겉보기엔 군용 창고나 포로수용소처럼 음침한 분위기였다.

    센강 건너편엔 좁다란 길들과 오래된 높고 아름다운

집들이 늘어선 생루이섬이 있는데, 거기로 건너갈 수도, 왼쪽으로 돌아 생루이섬을 끼고 강둑을 따라 걷다 노트르담 성당과 시테섬 맞은편에 이를 수도 있다.

강둑을 따라 늘어선 헌책방에선 가끔 막 출간된 미국 책을 아주 싼값에 만날 수 있었다. 당시 투르 다르장 레스토랑은 위층에 방 몇 개를 세놓고 묵는 이들에게 레스토랑 할인 혜택을 줬고, 묵던 사람들이 책을 두고 가면 허드렛일꾼이 멀지 않은 강둑에 있는 헌책방에 책을 팔았기에, 그 책들을 단돈 몇 프랑에 여주인에게서 살 수 있었던 거다. 그녀는 영어로 된 책은 팔릴 거란 확신이 없던 터라 값을 거의 쳐주지 않고 샀고, 적은 이윤에도 재빨리 되팔았다.

"쓸 만한 게 있긴 해요?" 친해지고 나서 그녀가 물었다.

"가끔 있죠."

"어떻게 알죠?"

"읽어보면 알죠."

"일종의 도박인 건 여전하네요. 게다가 영어를 읽을 수 있는 사람이 몇이나 되겠어요?"

"날 위해 모아놨다가 내가 훑어볼 수 있게 해주시죠."

"안 돼요. 놔둘 순 없어요. 당신은 정기적으로 들르지 않잖아요. 너무 오래 먼 데 머물 때도 있고요. 그 책들은 가능한 한 빨리 팔아야 한단 말예요. 가치가 없는 책인지 아닌지 아무도 모르니까요. 형편없는 책이라고 판명 나면 절대 팔지 못할 거예요."

"가치 있는 프랑스 책은 어떻게 알죠?"

"우선 그림이 있어야 해요. 다음엔 그림의 질이 중요하죠. 그다음은 제본이에요. 좋은 책이면 출판사 사장이 제본을 제대로 할 테니까요. 영어로 된 책도 다 제본이 돼 있지만, 상태가 별로예요. 판단할 방법이 없는 거죠."

투르 다르장 근처 그 헌책방 이후 미국이나 영국 책을 파는 곳은 그랑 오귀스탱 부두까진 없었다. 거기서부터 볼테르가 너머까지엔 몇 군데 있었는데, 센강 왼편 호텔들, 특히 돈 많은 투숙객이 제일 많았던 볼테르 호텔 직원들에게서 사들인 책을 파는 곳들이었다. 어느 날 친구가 된 또 다른 책방 여주인에게 책 주인들이 책을 팔기도 하는지 물어봤다.

"아뇨. 다 버려진 것들이에요. 그래서 가치가 없단 걸 알죠."

"친구들이 배에서 읽으라고 준 책들일 겁니다."

"틀림없어요." 그녀가 말했다. "배에도 많이들 두고 내릴 테죠."

"그러겠죠." 내가 말했다. "보관했다가 제본해 배 도서관을 만들 수도 있을 겁니다."

"영리한 생각이네요. 적어도 제본은 제대로 될 테니까요. 이젠 그런 책만 값이 나가죠."

나는 일을 끝냈을 때나 뭔가를 생각해내려 할 때 부두를 따라 걷곤 했다. 걸으면서 무언가를 하거나 사람들이 무언가를 하는 걸 보고 있으면 생각이 더 잘 떠올랐다. 퐁네프다리 아래 앙리 4세 동상이 있는 시테섬 초입, 날카로운 뱃머리처럼 끝나는 지점 강변엔 아름드리 밤나무가 군락을 이룬 작은 공원이 있었는데, 거긴 센강이 만들어내는 조류와 역류가 흘러지나가 낚시하기 좋은 곳들을 품은 데였다. 공원 쪽 계단을 내려가면 그곳이나 커다란 다리 밑에서 낚시꾼들을 볼 수 있었다. 낚시하기 좋은 자리는 강물 깊이에 따라 달라졌지만, 낚시꾼들은 긴 접이식 낚싯대를 쓰면서도 아주 가는 목줄과 가벼운 기어, 그리고 깃털 찌를 사용해 각자의 자리에서 능숙하게 미끼를 던졌다. 그들은 매번 물고기를 잡았고 종종 모샘치라 불리는 황어 닮은 물고기를 솜씨 좋게 낚아 올리기도 했다. 통째로 튀기면 아주 맛있어서 한 접시는 너끈히 먹을 수 있는 물고기였다. 살이 통통하고 단맛이 나는데 신선한 정어리보다도 풍미가 좋고

기름기도 전혀 없어 우린 가시까지 다 먹었다.

제일 맛있게 먹었던 곳 중 하나는 동네를 벗어나는 여행을 할 만한 돈이 생기면 가곤 했던 바 뮈동 강변 야외 식당이었다. 기적의 낚시라는 이름의 이 식당엔 아주 맛있는 뮈스카데[1]류 화이트와인이 있었다. 시슬레[2]의 그림처럼 강변이 내려다보이는, 모파상 소설에 나올 법한 식당이었다. 생루이섬에서도 아주 맛있는 생선튀김을 먹을 수 있었기에 모샘치를 먹으러 늘 그렇게 멀리까지 갈 필요는 없었지만.

나는 생루이섬과 베르갈랑 광장 사이 센강 중에서도 물고기가 많이 잡히는 데서 낚시하는 몇몇 남자들을 알고 있었고, 가끔 날이 맑으면 와인 한 병과 빵 한 조각, 소시지 같은 것들을 사 들고 가선 햇볕 아래 앉아 가져간 책을 읽으며 낚시하는 모습을 구경하곤 했다.

여행 작가들은 센강에서 낚시하는 사람들은 제정신이 아니라는 듯 말하며 아무것도 못 잡는다고 썼지만, 그건 진지하고 수확도 좋은 낚시였다. 낚시꾼 대부분은 인플레이

---

1  Muscadet, 프랑스 루아르계곡에서 생산되는 화이트와인으로, 멜론 드 부르고뉴 포도로 만든다.
2  알프레드 시슬레(Alfred Sisley, 1839~1899) 프랑스에서 활동한 영국의 인상주의 풍경화가.

션 탓에 가치가 없어지리란 걸 몰랐던, 적은 연금을 가진 사람들이거나 하루나 반나절 휴가를 낸 낚시광들이었다. 마른강이 센강과 합류하는 샤랑통과 파리의 양 끝 지점이 낚시하기에 더 좋았지만, 파리 시내도 아주 괜찮았다. 난 낚시 도구도 없었고 스페인에서 낚시할 돈을 모아두는 게 좋았기에 낚시를 안 했다. 게다가 언제 일을 끝낼지, 언제 떠나야 할지 알 수도 없는 상황이었기에 좋은 때와 나쁜 때가 있는 낚시엔 말려들고 싶지도 않았다. 하지만 자세히 지켜봤고, 그것만으로 흥미롭고 유익했다. 도시에도 착실하고 진지하게 낚시를 즐기며, 가족들 먹일 튀김 거리 몇 마리를 집으로 가져가는 낚시꾼들이 있다는 사실이 늘 날 행복하게 했다.

낚시꾼들과 강 위의 삶, 거기 사람 각자만의 삶을 실은 아름다운 바지선, 다리 밑을 지나기 위해 굴뚝을 뒤로 젖힌 채 바지선을 끄는 예인선, 돌로 쌓은 강둑 가에 늘어선 거대한 느릅나무와 플라타너스, 그리고 드문드문 서 있는 포플러가 있는 강가에선 결코 외로울 수 없었다.

파리의 수많은 나무에서 매일 봄이 오는 걸 볼 수 있었고, 밤새 따뜻한 바람이 불다 어느 아침 갑자기 봄이 찾아온 적도 있었다. 폭설이 와 봄이 오지 않을 것 같고, 마치 인생에서 한 계절을 잃어버린 듯 느껴질 때도 가끔 있었다. 자연스러운 일이 아니었기에 파리에서 진정으로 슬펐던 유일한 때였다. 당신은 가을 속에 슬픔이 있을 거라 여겼다. 나무에서 잎이 떨어지고 가지가 바람과 추위, 겨울 햇빛에 앙상해지면 당신의 일부도 해마다 죽었다. 하지만 얼어붙었던 강이 다시 흐를 걸 알았던 것처럼, 당신은 봄이 늘 온다는 걸 알고 있었다. 폭설이 계속 내려 봄을 죽여버렸을 때 난, 마치 젊은이가 이유 없이 죽은 것 같았다.

그때도 봄은 늘 그렇듯, 마침내 왔지만, 거의 못 올 뻔했다는 게 날 두렵게 했다.

People of the Seine, 1964[3]

---

3 이 글은 『파리는 날마다 축제 *A Moveable Feast*』 5장의 일부로, 사후 출판된 이 책은 헤밍웨이의 파리 시절(1921~1926) 회고록이다.

# 두 번째 산책

장 자크 루소

누구도 처해본 적 없는 낯선 상황 앞에서 난 내 영혼의 평소 상태를 묘사해보려는 계획을 세웠다. 그리고 그 일을 수행하는 가장 간단하고 확실한 방법은 머리를 비운 채 상념들이 어떤 저항이나 구속 없이 자유로이 흘러가도록 내버려두면서, 고독한 산책 중에 차오르는 몽상을 충실히 기록해나가는 것밖엔 없다고 생각했다. 그런 고독과 명상의 시간이야말로 아무런 방해나 장애물 없이 온전히 나 자신으로 존재할 수 있는, 내가 자연의 의도대로 존재하노라고 진심으로 말할 수 있는 시간이니 말이다.

그러나 계획을 실행하기엔 너무 늦었다는 느낌이 이내 들었다. 나의 상상력은 이미 둔해져 자극을 주는 사물을 만나도 불타오르지 않고, 몽상의 흥분에 빠져드는 일도 뜸해져서였다. 이제 몽상은 창조하는 대신 어렴풋한 추억만을 불러낸다. 미적지근한 무감각이 내 모든 가능성을 무디게 만들고 정신은 내면에서 서서히 소멸한다. 영혼은 그 낡은 껍데기를 뚫고 나가기를 힘겨워한다. 나는 열망하는 상태를 되찾고 싶었고, 열망할 자격도 있다고 믿었다. 그런 희망조차 없다면 기억 속에 존재하는 것에 불과할 터이기에.

이런 쇠락의 길에 접어들기 전의 나를 떠올리려면 적어도 몇 년은 거슬러 올라가야 한다. 희망을 잃은 나머지 지상에서는 마음의 양식을 찾을 수 없어, 나 자신을 자양분 삼아 내면에서 양식을 찾는 방법을 조금씩 터득해 나가던 시절로 말이다. 너무 늦게 알아차리긴 했지만, 내면으로 파고드는 나의 습성은 모든 것을 충분히 보상해줄 만큼 값진 것이었다. 그 자원 덕분에 난 불행한 기억과 감정을 마침내 거의 잊을 수 있었고, 이 경험을 통해 진정한 행복의 원천은 우리 안에 있으며, 진정으로 행복해지고자 하는 사람은 타인이 불행하게 만들 수 없다는 사실을 배웠다.

장 자크 루소

사오 년 전부터 나는 다정하고 온화한 사람들이 명상을 통해 발견하는 내면의 기쁨을 일상적으로도 맛보게 되었다. 혼자 산책하면서 이따금 느꼈던 이러한 환희와 황홀경은 모두 나의 박해자[1]들 덕분에 누리게 된 기쁨이었다. 그들이 아니었다면 나는 내 안의 보물을 결코 발견할 수 없었을, 아니 그 존재조차 알지 못했을 것이다. 그토록 풍부하게 넘쳐나는 보물들을 어떻게 계속 충실히 기록할 수 있었을까? 수없이 많은 그 달콤한 몽상들을 잘 기억하고 싶을 때면 난 묘사를 하는 대신 다시금 몽상에 잠겨들었다. 그러면 기억이 되살아나고, 몽상을 멈추는 순간 그것을 잊는 상태가 되었다.『참회록』의 후속편을 쓰려는 계획을 세운 뒤 한 산책들에서, 특히 지금 얘기하려는 산책에서 그 효과를 느꼈는데, 그날의 산책은 예기치 못한 사건 때문에 몽상의 흐름이 끊겨선 완전히 다른 방향으로 흘러갔다.

1776년 10월 24일 목요일. 저녁을 먹은 나는 가로수

---

1 루소는 작가로서 큰 명성을 얻었지만『사회계약론』과『에밀』발표 후 출간 금지와 세간의 공격, 체포령과 망명 등을 겪으며 긴 시간 곤욕을 치렀다. 이 글이 수록된『고독한 산책자의 몽상』은 세상을 떠나기 이 년 전 집필한 책으로, 자신에게 적대적이었던 타인들을 박해자로 규정하고 집요하게 자신을 방어하면서 내면의 안식을 구하려는 태도가 담겨 있다.

길을 따라 슈맹 베르가로 갔고, 곧 메닐몽탕의 고지대에 이르렀다. 그러곤 포도밭과 초원을 지나 두 마을의 경계를 이루는 근사한 풍경을 통과해 샤론으로 갔다. 초원으로 돌아올 때는 다른 길을 걸으려 방향을 틀어선 유쾌한 경관이 선사하는 기쁨과 흥취에 잠겨 즐거이 돌아다녔고, 때로는 멈춰서 덤불 속 식물들을 채집했다.

나는 파리 근교에선 거의 본 적이 없지만 이 지방에는 흔한 두 종류의 식물을 발견했다. 하나는 쇠서나물이라는 국화과 식물이고, 다른 하나는 시호라는 미나리과 식물이었다. 이 식물들 덕에 기쁨과 흥분이 오랫동안 가시지 않았는데, 곧 더 희귀한, 고지대에서는 특히나 찾기 힘든 식물을 발견했다. 쇠별꽃이었다. 나중에 사고가 일어났음에도, 그날 들고 갔던 책의 갈피에서 그것을 꺼내 식물도감 속에 넣어두는 걸 난 잊지 않았다. 한편, 아직 개화 중인 다른 식물 몇 가지도 자세히 관찰했는데, 모양과 이름이 익숙했음에도 언제나처럼 기쁨을 주는 것들이었다.

잠시 후 나는 세심한 관찰을 살짝 뒤로 물리고, 즐거움은 적을지 몰라도 감동은 더 큰 풍경으로 시선을 돌렸다. 며칠 전 수확이 끝난 상태였다. 도시에서 온 산책자들은 이미 사라진, 농부들도 겨울 일을 하기 전까지는 돌아오지 않을 들판은 여전히 푸르고 경쾌했지만, 여기저기 낙엽이 지고 황량해지기 시작해 고독의 이미지를 사위에 드러내며 겨울을 향해 다가가고 있었다. 그 풍경에는 달콤함과 서글픔이 뒤섞여 있었는데, 내 나이 그리고 내 운명과 너무나 닮아 있어 나에 빗대 생각하지 않을 수 없었다. 무고하고도 불행한 삶의 끝자락에 선 내 자신이 보인 것이다. 영혼은 생생한 감정으로 가득 차 있고 마음은 여전히 몇 송이 꽃으로 장식돼 있지만, 어느덧 슬픔으로 시들어가고 권태로 바짝 말라가고 있는 내 모습이.

홀로 남겨진 나는 첫서리의 냉기를 느꼈다. 고갈돼 가는 상상력은 제멋대로 빚어낸 존재들로 고독을 채워주는 일을 더는 하지 못했다. 나는 한숨을 내쉬며 중얼거렸다. '여기서 뭘 하는 거지? 나는 살기 위해 태어났을 텐데, 제대로 살아보지도 못하고 죽는구나. 적어도 나의 잘못은 아니지만, 나를 만든 창조주에게 내게 허락되지 않은 훌륭한 작품을 헌납할 수는 없을 것이다. 그렇다면 나는 결과가 시원치는 않았으나 의도는 선했던 시도를, 비효율적이긴 하지만 건전했던 감정을, 사람들의 멸시를 견뎌낸 인내심을 제물로 바치겠다.'

이런 생각을 하자 마음이 누그러졌다. 나는 젊은 시절

부터 장년 시절, 인간 사회에서 격리된 기간, 그리고 나의 생애를 완성할 기나긴 은퇴 생활에 이르기까지 내 영혼이 거쳐온 여정을 되짚어보았다. 그와 함께 내 마음에 깃든 모든 애착, 그토록 부드럽고도 맹목적이었던 애정, 지난 몇 년 동안 내 정신에 자양분을 공급하며 슬픔 대신 위안이 되어준 온갖 상념들을 만족스럽게, 그리고 충분히 시간을 들여 회상했다. 탐닉할 때와 거의 흡사한 기쁨을 안고 그것들을 묘사할 수 있도록.

이런 평화로운 몽상과 함께 오후가 지나갔고, 매우 만족스레 하루를 마친 나는 집으로 돌아가고 있었다. 그런데 곧 이야기하려는 사건 때문에 몽상의 절정에서 깨어나고 말았다.

여섯 시경, 술집 갈랑 자르디니에 맞은편 내리막길에서 앞서 걷고 있던 몇 사람이 갑자기 옆으로 비켜서는 순간, 나는 커다란 덴마크 개[2] 한 마리가 이쪽으로 달려오는 걸 발견했다. 개는 마차 앞에서 전속력으로 달리던 터라 나

---

2 커다란 덴마크 개는 그레이트 데인 품종을 일컫는 말이다. 몸집이 무척 크고 힘도 센 이 품종의 연원이 덴마크와 연관된 이유는 알려지지 않는다.

를 보고도 멈추거나 돌아설 수 없었다. 나는 바닥에 내동댕이쳐지지 않을 유일한 방법은 몸을 높이 띄워 개가 내 아래로 지나가게 하는 것이라 판단했다. 하지만 번개처럼 떠오른 그 생각을 실행은커녕 검토조차 해볼 새 없이 사고가 났고, 나는 아무런 충격도 느끼지 못한 채 곤두박질쳐 그대로 정신을 잃었다.

거의 어두워져서야 의식을 되찾은 내게 자초지종을 전해준 건 나를 둘러싸고 있던 서너 명의 젊은이였다. 고삐를 늦추지 못한 개는 그 덩치와 그 속도 그대로 내 두 다리로 달려들어선 나를 고꾸라트렸다. 몸무게가 고스란히 실린 내 턱은 거칠게 포장된 도로를 강타했고, 머리가 발보다 먼저 떨어졌기에 충격은 더 컸다. 마부가 즉시 말을 멈추지 않았더라면 개를 뒤따르던 마차가 그런 내 몸 위를 지나갔을 것이다. 이것이 정신을 차린 나를 일으켜 세우고, 부축해 옮기며 젊은이들이 들려준 이야기다. 그 순간의 내 상태는 여기서 설명하기에는 너무 별난 것이다.

밤이 깊어가고 있었다. 하늘, 몇 개의 별, 그리고 풀숲이 슬몃 보였다. 이 첫 감각은 감미로웠다. 오직 감미롭다는 느낌뿐이었다. 막 새 생명으로 태어나 눈에 보이는 모든 사물을 내 가벼운 존재로 채운 것만 같았다. 이전까지 무슨 일이 있었는지는 하나도 기억나지 않았다. 나라는 개체에 대한 뚜렷한 개념이 없어 내가 누구인지 알 수 없었고, 어디에 있는지도 몰랐다. 고통도 두려움도 불안도 느껴지지 않았다. 시냇물이 흐르는 걸 보듯 몸에서 피가 나는 걸 바라봤다. 그 피가 내 피라는 생각조차 들지 않았다. 내 온 존재가 황홀한 평온을 느꼈다. 그 순간을 떠올릴 때마다 지금껏 알려진 그 어떤 쾌락과 비교해도 견줄 만한 걸 찾을 수 없는 쾌락을 느낀다.

어디 사는 사람이냐는 질문을 받았지만 대답할 수가 없었다. 나는 여기가 어디냐고 물었다. 오트본이라고 했다. 마치 무슨 아틀라스산이라고 하는 것처럼 들렸다. 여기가 어느 국가, 어느 도시, 어느 구역인지 연달아 물어보았지만 내가 누구인지도 알아낼 수 없었다. 나는 이름과 사는 곳을 기억하려 대로까지 걸어갔다. 한 신사가 내가 멀리서 산다는 걸 알고는 잠시 나와 동행하는 선의를 베풀었고, 사원에서 마차를 타고 집으로 돌아가라 조언해줬다. 나는 피를 많이 뱉어내긴 했지만, 부상의 고통은 없이 가뿐히 잘 걸을 수 있었다. 하지만 얼음장 안에 있는 듯한 오한 탓에 이가 덜덜 떨렸다. 사원에 도착하자, 여기까지 힘들지 않게 걸었으니 마차를 기다리다 얼어 죽을 위험에 처하는 것보다는 계속 걸어가는 편이 낫겠단 생각이 들었다. 나는 마치 몸이 온전하던 때처럼 장애물과 자동차를 피해가며 길을 골라 플라트리에르 거리까지 2킬로미터 정도를 걸었다.

집에 도착해 현관문을 연 나는 어둠 속에서 계단을 올라 별 탈 없이 안으로 들어갔다. 그때까지만 해도 사고의 결과를 인지하지 못한 상태였는데, 나를 보고 비명을 지르는 아내의 모습에 내가 생각보다 험한 상태라는 사실을 깨달았다. 아픔을 느끼지도 못한 채 밤을 보내곤 이튿날 보니 내 상태는 이러했다. 윗입술 안쪽이 코까지 찢어졌는데 바깥쪽 피부가 붙들고 있어 완전히 찢어지지는 않았다. 윗니 네 개가 함몰됐고, 얼굴 전체가 심하게 멍든 채 부어올랐으며, 오른쪽 엄지손가락이 접질려 퉁퉁 부었고, 왼쪽 엄지손가락이 크게 상했다. 왼쪽 팔은 접질렸고, 타박상으로 심하게 부은 왼쪽 무릎은 끔찍하게 아파 전혀 구부릴 수가 없었다. 그런 상태임에도 치아는 물론 아무것도 부러지지 않았으니, 그만한 사고에선 기적이 아닐 수 없었다.

이것이 그날 벌어진 사건의 전말이다. 이 이야기는 며칠 만에 파리 전역으로 퍼졌는데, 어찌나 변형되고 왜곡됐는지 당사자인 나조차 알아들을 수 없을 정도였다. 와전되리라는 걸 미리 헤아렸어야 했다. 소문에는 이상한 정황이 너무도 많이 추가되고 모호한 말들이 덧붙여졌으며 일부 사실은 생략되었다. 사람들은 내게 우스꽝스러울 만큼 조심스러운 말투로 이 이상한 소문 때문에 걱정했다고들 했다.

나는 언제나 어둠을 혐오했다. 나를 둘러싼 어둠은 아무리 세월이 흘러도 줄어들지 않으리라는 공포가 자연스레 나를 채웠다. 이 시대의 모든 특징 중 딱 하나만을 꼽으라면 바로 어둠이며, 그 하나만으로 나머질 압도하기에 충분할 것이다.

경찰 총감 르누아르 씨는 나와 아무 관계도 아닌데 비서를 보내 소식을 물었다. 그러면서 긴급히 필요한 것이 있으면 제공하겠다 제안했는데, 그 상황에선 딱히 도움이 될 만한 게 없었다. 하지만 비서는 총감의 제안을 강권하며, 만약 자신을 못 믿겠다면 총감에게 직접 편지를 써도 좋다고 말했다. 그의 엄청난 열의와 자신감 넘치는 태도를 보건대 그 바탕엔 내가 꿰뚫어보려 애써도 소용없을 어떤 비밀이 있는 게 틀림없었다. 사고의 여파와 고열로 머리까지 멍한 상태였던 나는 오래지 않아 겁에 질렸다. 수천 가지 걱정스럽고 슬픈 가정을 해보고, 주위에서 일어나는 일들에 이런저런 설명을 덧붙여봤다. 그렇게 난 평정심을 잃고 정신 착란에 가까운 상태가 됐다.

그런 와중, 평온을 방해하는 또 다른 사건이 찾아왔다. 오르모이 부인은 지난 몇 년 동안 나를 쫓아다닌 사람인데, 이유는 알 수 없었다. 시시콜콜한 선물을 들고 목적도 재미도 없는 방문을 계속하는 데엔 분명 어떤 꿍꿍이가 있을 텐데 속내를 드러내진 않았다. 부인은 왕비에게 바치는 소설을 한 편 쓰고 있다고 말했다. 나는 여성 작가들에 대한 평소 생각을 말해주었다. 그런데 부인은 이 작업의 목적이 자신의 재산을 돌려받는 것이며, 그러자면 후원이 필요하다고 말했다. 나는 해줄 말이 없었다. 이후 왕비에게 접근할 수 없게 된 부인은 내게 책을 출판하기로 했다고 말했다. 이제 더는 조언해줄 상황이 아니었다. 내게 요청하지도 않았을뿐더러, 해준다 한들 따를 것 같지도 않았다. 부인은 원고를 보여주겠다 했고, 내가 제발 그러지 말아달라고 간청하자 다시 나타나지 않았다. 그런데 사고의 여파에서 회복 중이던 어느 날, 부인이 책을 보내온 것이다.

책은 인쇄는 물론 제본까지 되어 있었는데, 서문에 나에 대해 지나친 찬사를 늘어놓은 것이 너무 불순하고 가식적이어서 불쾌할 정도였다. 그 글에서 느껴지는 아첨은 호의와는 거리가 먼 것이어서 내 마음이 속아 넘어갈 리 만무

했다. 아무튼, 며칠 후 오르모이 부인이 딸과 함께 나를 찾아왔다. 부인은 자신의 책이 꽤 화제가 되었는데, 그 까닭이 어떤 주석 때문이라 말했다. 나는 소설을 대충만 훑어봤던 터라 주석까진 보지 않았었다. 부인이 떠난 후 주석의 내용을 확인하고 나니 부인이 자꾸 찾아오고 서문에 아첨하는 과찬을 늘어놓은 이유를 대충 짐작할 수 있었다. 내가 그 주석을 썼다고 대중이 생각하게끔 만들어 저자가 받을 비난을 나에게 돌리려는 것 말고는 다른 목적이 없다는 판단이 든 것이다. 그런 생각과 생각의 여파를 막기 위해서라도 모녀가 쓸데없는 보여주기식 방문을 계속하는 걸 참아줘선 안 되었다. 하여, 난 부인에게 다음과 같은 쪽지를 보냈다.

"오르모이 부인의 친절에 감사드립니다만, 저 루소는 어떤 작가도 초대하지 않사오니 더는 방문하지 말아주시길 부탁드립니다."

부인에게서 답장이 왔다. 겉으로는 정중한 편지였다. 하지만 예민한 성정에 잔혹하게 칼을 들이댄 셈이었으니, 편지의 어조로 보아 내게 생생하고 진실한 감정을 품고 있던 그녀로서는 그 절교를 죽을 만큼 받아들이기 힘들었으리란 생각이 들었다. 이처럼 모든 일에 정직하고 솔직한 것은 세상에서 가장 끔찍한 범죄이며, 그렇기에 동시대 사람들에게 나는 분명 악하고 잔인한 사람으로 보일 것이다. 그들 눈에는 자신들처럼 거짓되고 교활하지 않은 게 죄일 테니 말이다.

어느덧 외출도 할 수 있게 된 나는 종종 튈르리 공원으로 산책을 나갔다. 거기서 만난 몇몇 사람이 놀라는 모습을 본 나는 내가 아직 모르는 나에 대한 소문이 있음을 눈치챘다. 그리고 곧, 내가 쓰러져 죽었다는 말이 돌고 있음을 알게 되었는데, 소문이 어찌나 빠르고 강하게 퍼졌는지 내가 소문을 들은 보름 후에는 궁정에서조차 확실한 사실인 양 화제에 오르게 되었다. 아비뇽의 지역신문은 이 기쁜 소식을 조심스레 알리면서 내 추모를 위한 모욕적이고 수치스러운 장례 연설이 마련되어 있음을 예고하는 걸 잊지 않았다.

나는 훨씬 더 이상한 이야기도 함께 전해지고 있다는 걸 우연히 알게 됐다. 자세한 내용은 알 수 없었지만, 대충 내 집에서 발견된 원고에 대한 인쇄 계약 신청이 시작됐다는 이야기였다. 여기까지만 듣고도 나는 사후 나의 작품이라고 조작될 가짜 원고가 몇 묶음이나 준비되어 있다는 걸 알 수 있었다. 실제로 원고가 발견된들 그것만을 정직하게 인쇄했으리라 생각하는 건 합리적인 사람이라면 납득할 수 없는 어리석은 일이라는 사실을 지난 십오 년의 경험을 통해 익히 알고 있어서였다.

꼬리에 꼬리를 물고 나타나는 이런 놀라운 소문들은 무뎌졌던 나의 상상력을 자극했다. 그리고 내 사위에서 끊임없이 짙어지던 검은 어둠은 다시 한번 선천적으로 내 안에 잠재해 있는 어둠에 대한 온갖 공포를 되살렸다. 나는 이 모든 일에 수천 개의 해설을 다는 데, 이 모든 불가해한 미스터리를 이해하려고 애쓰는 데 지쳐버렸다. 내가 이 모든 수수께끼로부터 일관되게 얻을 수 있었던 유일한 결론은 이미 내린 결론에 대한 확신이었다. 그건 요컨대, 내 개인의 운명과 명성의 향방은 현세대 전체가 함께 결정짓는 것이므로 내가 아무리 노력해도 벗어날 수 없다는 것이었다. 그게 무엇이든 그것을 말살하고 싶어 하는 자들의 손을 통하지 않고 다른 시대로 그걸 전달한다는 건 불가능한 일인 까닭이다.

하지만 이번엔 한발 더 나아가 생각해보았다. 그토록 많은 우연의 축적, 말하자면 운 덕에 성공한 나의 잔인한 적들, 국가를 통치하는 자들, 여론을 이끄는 자들, 감투를 쓴 자들, 모든 명망 있는 자들이 마치 미리 걸러낸 것처럼 내게 비밀스러운 적의를 가진 사람 중에서만 선발돼 공동의 음모에 가담하고 있다는 사실, 어디서나 일치하는 이 보편적인 현상은 그저 우연이라기엔 너무 기이하다. 단 한 사람만 공범이 되길 거부해도, 그들에게 반대하거나 그들을 방해하는 예기치 않은 사건이나 상황이 단 하나만 있어도 음모는 분명 좌초했을 테니 말이다. 그러나 모든 의지와 숙명과 운명과 혁명이 이 작업을 공고히 만드는 듯했다. 그렇기에, 언제나 성공으로 끝맺도록 이 기적에 가까운 경이로운 법칙이 영원한 율령 속에 기록되어 있음을 의심할 여지가 없는 것이다. 과거와 현재를 속속들이 관찰하면서 나는 지금껏 인간의 사악한 열매로만 생각했던 것들이 실은 인간의 이성으로 꿰뚫을 수 없는 하늘의 비밀로 간주할 수밖에 없는 것들임을 확신하게 됐다.

이런 생각이 잔인하거나 가슴 아픈 건 아니다. 오히려 나를 위로하고 진정시키며 체념하게 도와준다. 신의 뜻이라면 저주를 받으면서도 위안을 느꼈을 성 오귀스탱의 경지까지 나아가지는 못하겠다. 게다가 내 체념은 일정 부분 이기적인 근원에서 비롯된 것이기도 하다. 그렇다고 해서

순수하지 않은 것은 아니며, 그러한 체념이 내가 숭배하는 완벽한 존재에 더 걸맞다고 나는 확신한다. 신은 공정하다. 신은 내가 고통받기를 원하며, 내가 결백하다는 것을 안다. 이것이 내 확신의 근거다. 나의 마음과 나의 이성은 그 확신이 나를 속이지 않으리라 외친다. 그러니 인간과 운명의 손에 맡겨버리자. 불평 없이 견디는 법을 배우자. 모든 건 결국 질서 안에 있으니, 나의 차례가 곧 올 터이니.

Seconde Promenade, 1782

장 자크 루소

# 새벽 단상

조지 기싱

네 시 조금 넘어 깼다. 블라인드 위로 늘 단테의 천사들을 떠올리게 하는 순금 빛 가장 이른 햇살이 내려앉아 있었다. 평소 같지 않게 꿈도 없이 푹 자 온몸에 휴식의 축복이 느껴졌다. 머리는 맑았고 맥박은 평온히 뛰었다. 그렇게 몇 분 동안 누워 머리맡 책장에서 어떤 책을 집어 들까 고민하고 있자니, 일어나 이른 아침 속으로 나가야겠단 욕구가 솟구쳤다. 그 순간 몸을 일으켰다. 블라인드를 올리고 창문을 여니 열망은 더 커졌고, 곧 정원에 나와 있는가 했는데 이내 어디로 갈지 신경도 쓰지 않은 채 가벼운 마음으로 길

위에 서 있었다.

    여름 해가 뜰 무렵 밖에 나와본 게 언제였던가? 건강이 웬만한 사람이라면 누구나 누릴 수 있는 가장 큰 육체적, 정신적 즐거움 중 하나건만 기분과 여건이 충족되지 않아 그럴 수 있는 날을 일 년에 한 번 갖기도 힘들다. 생각건대, 해가 중천인데도 몇 시간 동안 침대에 누워 있는 건 이루 말할 수 없이 나쁜 습관이며, 건강한 옛 삶의 방식을 현대 시스템이 가장 어리석게 바꿔버린 것 중 하나다. 하지만 내 에너지가 그런 위대한 변혁을 따라가지 못한다면, 난 저물녘 잠자리에 들어 아침 햇살과 함께 일어나길 시작해 볼 것이다. 그런 생활은 분명코 내 건강을 엄청나게 좋게 하고, 의심할 여지 없이 내 존재에 즐거움을 더할 것이다.

    여행할 때면 종종 해가 뜨는 걸 지켜보곤 했는데, 그럴 때면 언제나 다른 자연 현상이 불러일으키는 것과는 다른 희열이 내 안에 솟구쳤다. 지중해에서 맞은 새벽녘, 더없이 은은한 빛의 색조가 점점 짙어지며 섬의 형상이 찬란한 바다 한가운데 드러나던 순간이 기억난다. 산등성이 사이로 순간 창백해졌다, 다음 순간 여신의 장밋빛 손길로 부드럽게 빛나던 높디높은 산봉우리도. 다신 볼 수 없을 광경이었다. 너무도 완벽해 새로운 경험이 그 기억을 흐리게 할까 두려울 정도로. 내 감각이 너무도 무뎌져 이젠 그때의 느낌을 떠올리진 못하지만 말이다.

모두가 잠든 때 일어나 기숙사를 빠져나오는 게 즐겁기만 했던 학창 시절이 까마득하기만 하다. 오직 공부를 위해 일찍 일어났을 뿐, 내 의도는 너무도 순수했다. 난 이른 아침 햇살이 비추는 기다란 교실을 볼 수 있었다. 책과 석판, 벽에 붙은 지도, 그리고 뭔지 알 수 없는 것들이 뒤섞인 교실 특유의 냄새도 맡을 수 있었다. 하루 중 어떤 시간이든 지긋지긋하기만 하던 수학도 새벽 다섯 시에는 몰입할 수 있었으니, 특이한 정신세계였다. 책에서 겁이 날 정도로 어려운 부분을 펼치고는 혼잣말을 하곤 했다. "그래, 오늘 아침엔 이 문제와 붙어보겠어! 다른 애들은 이해하는데, 나라고 왜 못 하겠어?" 그리고 어느 정도는 성공했다. 다만 어느 정도였을 뿐 내 능력의 한계, 내 노력의 한계는 늘 존재했다.

다락방에서 지내던 시절엔 일찍 일어나는 일이 드물었다. 특별한 이유로, 일 년까지는 아니더라도 거의 열두 달을 다섯 시 반에 일어나야만 했던 때를 제외하면 말이다. 런던 대학에 들어가려는 한 남자의 '코치' 노릇을 할 때였는데, 그는 사업을 했기에 공부에 집중할 수 있는 시간이 아침 식사 전뿐이었다. 당시 난 햄스테드가 근처에 숙소가 있었고, 제자는 나이츠브리지에 살았다. 매일 아침 여섯 시 반에 그와 함께하기로 했는데, 나이츠브리지까진 열심히 걸으면 한 시간 정도였다. 난 그 계약을 가혹하다 여기지 않았고, 그리 많진 않지만 끼니 걱정 없이 종일 글을 쓰며 지낼 수 있는 보수를 받게 돼 기뻤다. 다만 불편한 점이 하나 있었다. 난 시계가 없었다는 것, 그렇기에 시간을 알 수 있는 유일한 수단이 동네에서 울리는 시계 소리를 듣는 것이라는 점이었다. 대개는 깨야 할 시각에 정확히 깼다. 시계가 다섯 시를 알리면 벌떡 일어났다. 하지만 어둠이 짙게 내려앉은 아침엔 종종 습관을 정확히 지키는 데 실패하기도 했다. 그런 날이면 한 시간을 몇 번으로 나눠 울리는 시계 소리만으론 너무 일찍 일어난 건지 너무 오래 잔 건지 알 수가 없었다. 늘 나를 괴롭히던 시간 엄수에 대한 공포가 가만히 누워 기다릴 수 없게 해 옷을 챙겨 입고 거리로 나가 몇 시인지 확인한 적도 여러 번 있었다. 그중 한 번은 똑똑히 기억하는데, 안개비가 내리던 새벽 두 시에서 세 시 사이의 탐험이었다

나이츠브리지의 그 집에 도착하고 나서야 ○○ 씨가 너무 피곤해 일어나지 못한다는 통보를 받은 적도 가끔 있

었다. 수업료가 깎이는 건 아니어서 크게 신경 쓰진 않았다. 난 두 시간을 걸어 돌아왔고, 그건 모든 걸 더 좋게 해줬다. 그러면, 수업을 했든 안 했든, 아침을 먹을 때 입맛이 돌았다! 식단은 버터 바른 빵과 커피(엄청난 커피였다!)였는데, 난 막일꾼처럼 그걸 해치웠다. 실로 황홀한 기분이었다. 집으로 돌아오는 내내 오늘 할 일을 생각해 둔 데다, 활기찬 운동과 적당한 배고픔 덕분에 맑아지고 고무된 아침 두뇌는 최상의 상태였다. 마지막 한입까지 깨끗이 삼킨 뒤, 난 책상에 앉았다. 그러곤 일고여덟 시간을, 짧은 간식 시간을 가지며, 즐거움과 열정과 희망을 품고 일하는, 런던 전체에서 몇 안 되는 사람이 되어 글을 썼다.

그래, 그렇다, 좋은 시절이었다. 오래가진 못했지만. 그때 전후론 갖가지 걱정과 불행과 감내가 있었다. 나이츠브리지의 ○○ 씨에게 난 항상 고마움을 느낀다. 그는 건강한 일 년을, 그리고 내 평온기 대부분을 선사해주었다.

Summer 11, 1903[1]

---

1 이 글은 조지 기싱이 헨리 라이크로프트라는 가공의 인물을 내세워 쓴 자전적 에세이 『헨리 라이크로프트 수상록』의 일부로, 'Summer' 장 열한 번째 글이다.

# 산책하러 나가기

맥스 비어봄

살면서 산책을 위해 나가본 적이 실은 한 번도 없다. 이끌려 나간 적은 있지만, 그건 다른 문제다. 심지어 유모 곁에서 재잘거리며 종종걸음칠 때도 유아차를 타던 좋았던 옛 시절을 그리워했다. 어렸을 적 난 아무도 내게 산책을 청하지 않는 게 런던살이의 한 가지 장점이라 생각했다. 런던의 단점들, 즉 끊임없는 소음과 번잡함, 매캐한 공기, 사방에 도사리고 있는 불결함이 이 한 가지 장점인 산책 면제를 보장해줬다. 친구들과 시골에서 지낼 때면, 빗방울이 떨어지고 있지 않은 한, 언제든 누군가가, 다른 상황에서는 꿈도 못 꿀 날카로운 명령조로 갑자기 '산책하러 나가자!'라고 말할 수 있다는 걸 깨닫곤 했다. 사람들은 산책하러 나가려는 욕망에 본질적으로 고귀하고 고결한 무언가가 있다고 생각하는 것 같다. 그렇기에 산책을 열망하는 사람은 안락의자에 편안히 앉아 책을 읽고 있는 사람을 보면 자신의 의지를 강요할 권리가 있다고 여긴다. 오랜 친구에겐 간단히 '아니'라고 말하는 게 어렵지 않다. 그저 아는 사이라면 약간의 변명이 필요하다. "그러고 싶지만, 편지를 써야 해서" 같은 말 외엔 떠오르지 않더라도 말이다. 이 방식은 세 가지 측면에서 불만족스럽다. 첫째, 믿음이 가지 않는다. 둘째, 의자에서 일어나 책상으로 가 앉아선 (거짓말쟁이고 위선자라고는 차마 말하지 못하게) 산책 도발자가 방 바깥으로 어기적어기적 나갈 때까지 누군가에게 즉흥적인 편지를 쓰게 만든다. 셋째, 일요일 오전엔 통하지 않는다. '오늘 저녁까진 편질 보낼 수 없잖아'라는 말이 나오기 전, 그냥 조용히 따라나서는 편이 낫다.

걷기 위해 걷는 건 이를 실천하는 사람들이 생각하듯, 매우 칭찬받을 만하고 모범이 될 만한 일일 수 있다. 내가 반대하는 이유는 이것이 뇌를 멈추게 해서다. 많은 사람이 대로나 언덕, 계곡을 걸을 때 머리가 제일 잘 돌아간다고 단언한다. 일요일 아침, 내게 자신의 모험에 동참하라고 강요한 사람을 떠올려보면 이런 장담은 사실무근이다. 경험이 알려준바, 의자에 앉아 있을 때나 벽난로 앞 깔개 위에 서 있을 때는 가르치거나 즐거움을 선사하는 힘을 갖고 있던 손님도 누군가를 잡아끌고 걸으러 나가면 그 능력을 잃어버리고 만다. 어느 방에서든 풍부하고 빠르게 떠오르던 참신한 생각들은 지금 어디에 있는가? 너무도 손쉽게 떠올리던 백과사전적 지식은 또 어디 있는가? 어떤 주제든 나왔다 하면 여름 번개처럼 번뜩이던 상상력은 어디로 사라졌는가? 이제 다채로웠던 그의 표정은 굳어졌고, 그의 맑은 두 눈에선 빛이 사라졌다. 그는 우리를 초대한 A가 최고로 좋은 사람이라고 말한다. 50미터쯤 더 걸어가선 A가 만나본 사람 중 좋은 사람 축에 속한다고 덧붙인다. 200미터쯤 더 터벅터벅 걷고 나선 A 부인이 매력적인 여성이라 말한다. 이내 자신이 아는 가장 매력적인 여성 중 하나란 말을 더한다. 우린 여관을 지난다. 그는 지루한 듯 큰 소리로 읽어준다. "킹스 암스. 에일 맥주와 증류주 판매 허가받음." 난 남은 산책 동안 그가 마주치는 표지판 모두를 소리 내 읽을 거란 걸 예감한다. 우린 이정표를 지나친다. 그는 지팡이로 이정표를 가리키며 "욱스민스터,[1] 80킬로미터"라고 말한다. 우리는 언덕 기슭 급한 모퉁이를 돈다. 그는 벽을 가리키며 "속도를 줄이시오"라고 말한다. 저 멀리 높은 도로와 맞닿은 울타리 반대편에 작은 안내판이 보인다. 그도 그걸 본다. 계속 주시한다. 그러더니 정해진 순서에 따라 "무단침입 시 고발함"이라 말한다. 딱한 사람! 정신이 나가고 말았어.

그런데, A 씨네 점심이 그를 추스르고 온 힘을 자신에게 쏟게 한다. 다시 모임의 영혼과 생명이 된 그를 주목하라. 아침나절의 쓰라린 교훈이 있었으니 그는 분명 다른 이와 산책을 하진 않을 것이다. 한 시간이 채 안 지나, 난 그가 새로운 동행자와 성큼성큼 나가는 걸 본다. 그가 사라질 때까지 지켜본다. 난 그가 무슨 말을 할지 안다. 그는 내가 함께 걷기에 재미없는 사람이라고 말한다. 이내 내가 같이 걸은 사람 중 가장 재미없는 사람 축에 속한다고 덧붙인다. 그러곤 표지판을 읽는 데 온 힘을 쏟을 것이다.

걷기 위해 걷는 이들에겐 왜 이런 급격한 퇴보가 일어나는 것일까? 대체 왜 그런 걸까? 난 한 사람이 그런 과

---

1 Uxminster, 지금은 없는 당대의 지명이거나 '산책 도발자'의 표지판 읽기를 좀 더 회화화하기 위해 엑스민스터Exminster 혹은 액스민스터 Axminste를 고의로 변형한 말장난인 듯하다.

업을 수행하도록 부추기는 게 이성적 추론의 결과는 아니라 생각한다. 이성을 초월한 무언가, 영혼 같은 게 부추기는 게 분명하다. 그래, 영혼이 '앞으로 갓!' 하고 육체를 채찍질해서인 게 확실하다. '정지! 쉬엇!' 하고 뇌가 끼어들어 '어디로, 무슨 일로 몸을 보내는 거야?'라고 점잖게 물으면 영혼은 답한다. '어디든 상관없어. 아무 목적도 없고. 네가 늘 교묘히 숨어 있는 뜻을 찾는 거와 비슷해. 밖으로 나가는 것만으로 몸은 고결함과 성실함, 강인한 위엄을 확실히 보여주니까.' 뇌가 답한다. '좋아, 방랑자. 너만의 길을 가! 하지만 난 이 멍청한 짓거리에 절대 끼지 않을 거야. 난 끝날 때까지 잠이나 자겠어.' 그러곤 뇌는 제 주름을 뒤집어쓰곤 몸이 다시 안전하게 집 안으로 들어올 때까지 무엇도 깨울 수 없는 꿈 없는 잠에 빠져든다.

어떤 분명한 목적을 갖고 어떤 특정 장소에 간다면 뇌는 차를 타길 권할 것이다. 하지만 요점은 그게 아니다. 산책하는 게 아니라면 뇌는 잘 작동할 것이다. 두 다리가 경쟁하듯 움직이는 동안 뇌는 어떤 깊은 생각은커녕 생각 자체를 하지 않을 것이고, 그 움직임이 영혼의 자부심을 만족시키려 당신을 옭아매는 게 아니라 두 다리 스스로를 유용하게 만드는 것이라면 뇌는 기꺼이 잡다한 일들을 도맡아 할 것이다. 변변친 않지만, 이 글은 오늘 아침 산책 중 구상한 것이다. 나는 어딜 가든 차로 가야 한다는 극단주의자가 아니다. 운동을 피하려 애쓴 적도 없다. 난 산책을 있는 그대로 받아들이고, 좋게 받아들인다. 건강 염려증자들이 늘 산책에 대해 떠들어대고 산책에 과몰입한다 해서 경멸하지도 않는다. 오히려 난 적당한 산책이 육체적으로도 좋다고 생각하는 축이다. 하지만 자신들을 보러 오는 걸 아무도 원치 않고 나 또한 가길 원치 않을 때까진, 집 밖에선 할 수 있는 일이 전혀 없을 때까진 난 결코 산책하러 나가지 않을 것이다.

              Going out for a Walk, 1920

쓰기,
한밤의
몽상가

# 나는 왜 쓰는가

조지 오웰

아주 어린 시절부터, 아마도 대여섯 살쯤부터 난 커서 작가가 되리란 걸 알았다. 열일곱 살부터 스물네 살 사이엔 그 생각을 버리려 했으나 그때도 내가 참 본성을 거스르고 있으며 조만간 자리를 잡고 책을 써야 한다는 점은 의식하고 있었다.

난 삼 남매 중 둘째였지만 위아래 모두 다섯 살이나 차이가 났던 데다 여덟 살 때까지는 아버지를 볼 기회도 거의 없었다. 그래선지 아니면 다른 이유에서인지 나는 다소 외로웠고, 이 외로움은 곧 불쾌한 무뚝뚝함으로 발전해 학

창 시절 내내 인기가 없었다. 외로운 아이들이 으레 그렇게 하듯 난 이야기를 꾸며내고 상상 속 인물과 대화를 나눴다. 생각건대, 내 문학적 야망에는 애초부터 소외된 존재라는 느낌과 과소평가된 존재라는 느낌이 뒤섞여 있었던 듯하다. 나는 내가 언어 능력이 뛰어나고 불쾌한 사실을 직시하는 힘이 있다는 걸 알았고, 이것들이 일상의 실패를 만회할 수 있는 일종의 사적 세계를 만들어내는 거라 느꼈다. 그렇긴 해도 유년 시절과 소년기 동안 내가 진지하게 (말하자면 진지한 의도로) 쓴 글은 여섯 쪽도 되지 않는다. 네다섯 살 때 처음 시를 썼는데, 어머니가 받아적어 줬다. 호랑이에 관한 시였고 호랑이가 '의자 같은 이빨'을 가졌다는 구절 외엔 전혀 기억나지 않는다. 그럴듯해 보이지만 블레이크의 「호랑이, 호랑이」[1]를 표절한 게 아닐까 싶다. 1914~1918년 전쟁이 발발했을 때인 열한 살엔 애국시를 써 지역 신문에 실었고, 이 년 뒤에도 키치너[2]의 죽음을 다룬 또 다른 애국

---

1 윌리엄 블레이크(William Blake, 1757~1827. 영국의 시인, 화가)의 1794년 작품이다.
2 허레이쇼 허버트 키치너(Horatio Herbert Kitchener, 1850~1916) 영국의 군인. 제1차 세계대전 초기 중요 임무를 수행한 육군 원수다.

시를 썼다. 조금 더 커서는 가끔 조지안[3] 스타일의 조악하고, 대개는 미완성인 시를 썼다. 또 두 번쯤 단편소설을 시도했는데 끔찍한 실패였다. 이것이 그 시절 내내 종이에 실제로 썼던 진지한 작업의 전부다.

그럼에도 난 이 시기 내내 어떤 의미에선 문학 활동을 하고 있었다. 우선 그리 큰 즐거움은 없지만 빨리, 쉽게 할 수 있는 주문 제작물이 있었다. 학교 숙제가 아니었음에도 베르도카시옹[4]이나 준희극시semi-comic poems를 지금 생각해도 놀라운 속도로 썼고, 열네 살엔 아리스토파네스[5]를 모방한 운율 갖춘 희곡을 일주일 만에 완성했다. 또 인쇄본과 필사본 모두로 학교 잡지 편집을 돕기도 했다. 이 잡지들은 상상할 수 있는 가장 비참하고 우스꽝스러운 것들이어서 현재 내가 관여하고 있는 값싼 저널리즘보다 훨씬 덜 힘들었다. 난 이 모든 일과 함께 십오 년 이상 전혀 다른 식의 문학적 연습도 했는데, 그건 마음속에만 존재하는 일종

---

3 워즈워스(1770~1850, 영국의 낭만주의 시인)적 자연스러움을 추구한 20세기 초 시인들을 말한다.

4 vers d'occasion, 특별한 날이나 행사를 위해 쓰는 가벼운 시를 뜻한다.

5 아리스토파네스(Aristophanes, BC 446~385) 고대 그리스 아테네의 대표적 희극 작가.

의 일기 같은 것, 즉 나 자신에 관한 지속적인 '이야기'를 구성해나가는 것이었다. 이는 아이들이나 청소년들에겐 아주 일반적인 습관일 터, 아주 어렸을 때 난 내가 로빈 후드 같은 스릴 넘치는 모험의 주인공이라 상상하곤 했다. 하지만 내 '이야기'는 곧 어설픈 자아도취에서 벗어나 점점 더 내가 한 것, 본 것에 관한 단순한 묘사가 되었다. 한 번에 몇 분씩은 "'그는 문을 밀어 열고 방으로 들어왔다. 모슬린 커튼을 통해 걸러진 노란 햇살이 잉크통 옆에 반쯤 열린 성냥갑이 놓인 탁자 위를 비스듬히 비췄다. 오른손을 주머니에 넣은 채 그는 창가로 갔다. 아래 길 위에선 거북 껍질 고양이가 가랑잎을 쫓고 있었다.' 어쩌고저쩌고"하는 생각이 머릿속을 맴돌았다. 이런 습관은 내가 문학과 전혀 상관없이 지냈던 시기를 거쳐 스물다섯까지 이어졌다. 적확한 단어를 찾으려 했고 찾기도 했지만, 이런 묘사에 관한 노력은 내 의지라기보단 일종의 외부로부터의 강박에 의한 것 같았다. 그 '이야기'는 분명 내가 각기 다른 시기에 존경했던 여러 작가의 스타일을 반영한 것일 테지만 내가 기억하는 한 묘사의 꼼꼼함은 늘 같았다.

열여섯 무렵 난 문득 단순한 낱말, 즉 낱말의 소리와 연상 작용에서 즐거움을 발견했다. 『실낙원』의 이런 구절 같은.

그리하여 그는 고난, 역경과 함께
나아갔다. 고난, 역경과 함께 그는,[6]

지금은 그리 근사해 보이지 않지만, 그때만 해도 등골을 오싹하게 했고 'he'를 'hee'로 바꿔 쓴 것도 즐거움을 더해줬다. 사물 묘사의 필요성에 관해선 이미 충분히 알고 있었다. 그러니 그때 내가 책을 쓰고 싶어 했다고 말할 수 있다면, 어떤 종류의 책을 쓰고 싶었을지는 명확하다. 난 상세한 묘사와 눈길을 끄는 직유가 넘치며 부분적으로 소리를 위해 단어가 사용된 화려한 문장이 가득한, 불행한 결말을 담은 아주 광대한 자연주의 소설을 쓰고 싶었다. 사실 내가 처음으로 완성한 소설, 서른에 썼으나 훨씬 이전 기획한 『버마의 나날』이 그런 유의 책이다.

내가 이 모든 배경 정보를 전하는 이유는 작가의 초기 성장기를 알지 못하면 그가 글을 쓰는 동기도 알 수 없다고 생각해서다. 작가의 주제는 그가 산 시대에 따라 결정되지만, 적어도 우리 시대처럼 격동적이고 혁명적인 시대엔 글을 쓰기 시작하기 전부터 작가는 결코 완전히 벗어날 수 없

---

6 『실낙원』 2권 끝부분에 있는 구절이다.

는 감정적 태도를 체화하게 될 것이다. 말할 것도 없이, 자신의 기질을 조절하고 미성숙한 단계나 비뚤어진 취향에 갇히지 않게 하는 게 작가가 해야 할 일이지만, 초창기의 영향에서 완전히 벗어나면 그는 쓰고자 하는 욕망 자체가 없어질지도 모른다. 생계를 위한 목적을 제외하면 작가가 글을 쓰는 데는, 적어도 산문을 쓰는 데는 네 가지 큰 동기가 있다고 생각한다. 이 네 가지가 차지하는 비중은 작가마다 다르며, 같은 작가라 하더라도 그가 사는 시대의 분위기에 따라 때때로 달라질 수 있다. 네 가지는 다음과 같다.

1. 순수한 에고이즘: 똑똑해 보이고 싶고, 사람들 입에 오르내리고 싶고, 죽어서도 기억되기를 바라고, 어린 시절 못되게 군 어른들에게 보란 듯 복수하고 싶은 욕구 등등이 여기에 해당한다. 이것이 동기가 아닌 척한다면 그건 기만일 만큼 이는 강력한 동기다. 작가는 과학자나 예술가, 정치인, 법률가, 군인, 성공한 사업가, 즉 인류 최고위층 전체와 이런 특성을 공유한다. 인간 대부분은 지극히 이기적이지 않다. 대략 서른이 지나면 개인적 야망을 버리고 (실제론 대부분 개인적 존재라는 감각을 거의 버리고) 주로 타인을 위해 살거나 아니면 그저 혹독한 노동에 짓눌려 지낸

다. 하지만 끝까지 자신의 삶을 살겠다 결심한, 재능 있고 의지 강한 소수의 사람이 있는데, 작가도 이 부류에 속한다. 그렇기에 진지한 작가는 대개 돈에는 관심이 적지만 저널리스트보다 허영심이 강하고 자기중심적이다.

2. 미적 열망: 외부 세계의 아름다움에 대한 인식, 또는 반대로 단어와 단어의 제대로 된 배열이 주는 아름다움에 대한 인식. 어떤 소리가 다른 소리에 미치는 영향과 잘 쓰인 산문의 견고함 혹은 좋은 이야기의 리듬에서 얻는 즐거움. 가치 있다고 느끼는 무엇이나 놓쳐서는 안 된다고 생각하는 경험을 나누려는 욕망. 미적 동기는 많은 작가에게 매우 미약하나, 팸플릿 작가나 교과서 작가조차 비실용적임에도 끌려 애용하는 단어나 문구를 갖고 있으며 서체나 여백의 크기 등에 매우 민감할 수 있다. 철도 안내서 수준 이상이라면, 어떤 책도 미적 고려에서 자유로울 수 없다.

3. 역사적 충동: 후대를 위해 사물을 있는 그대로 보고 진실을 가려내 보존하려는 욕망.

4. 정치적 목적: 가능한 가장 넓은 의미에서 '정치적'

이란 단어를 썼다. 세계를 특정 방향으로 이끌고, 추구해야 할 사회 체제에 대한 사람들의 생각을 바꾸려는 욕망이다. 다시금 말하건대, 정치적 편향에서 완전히 자유로운 책은 없다. 예술이 정치와 무관해야 한다는 의견은 그 자체가 정치적 태도다.

    이러한 다양한 충동이 서로 어떻게 부딪혀야 하는지, 그리고 사람마다 시대마다 어떻게 변해야 하는지는 알 수 있는 바다. 천성적으로 ('천성'을 막 성인이 됐을 때 도달한 상태라 할 때) 난 앞선 세 가지 동기가 마지막 동기보다 큰 사람이다. 평화로운 시대였다면 난 아마 매우 수사적이거나 단순히 설명적인 책을 썼을 것이고, 정치적 충실성은 의식하지도 않았을 것이다. 그렇기에 난 일종의 팸플릿 작가가 될 수밖에 없었다. 처음 오 년은 맞지 않는 일(버마의 인도 제국 경찰)로 보냈고, 그다음은 가난과 실패의식을 견뎌야 했다. 이 경험은 권위에 대한 본능적 증오심을 키웠고, 처음으로 노동자 계급이라는 존재를 온전히 이해하게 해줬으며, 버마에서의 직업은 제국주의의 본질을 어느 만큼 이해할 수 있게 해줬다. 하지만 이 경험들은 명확한 정치적 방향을 제시해주기엔 충분치 않았다. 그런데 히틀러, 스페인 내전 등등이 이어졌다. 1935년 말까지도 난 여전히 확고한 결정을 내리지 못하고 있었다. 당시 내 딜레마를 표현한 보잘것없는 시 한 편[7]이 기억난다.

> 난 행복한 목사가 되었을지 몰라
> 200년 전,
> 영원한 파멸을 설교하고
> 내 호두가 자라는 걸 지켜보는
>
> 하지만 가련하게도 사악한 시대에 태어났고,
> 그 즐거운 안식처를 그리워했지,
> 내 윗입술엔 털이 자랐고
> 성직자들은 모두 깔끔하게 면도했어.
>
> 이후에도 여전히 시절은 좋았고,
> 우린 너무 쉽게 기뻐했지,
> 괴로운 생각을 떨치고 잤어
> 나무의 젖가슴에 안겨.

---

7  1935년에 쓴 「작은 시 A Little Poem」 전문이다.

우리가 감히 가지려 한 모든 무지
지금 우리가 모른 체하는 기쁨, 그건
사과나무 가지 위 방울새
내 적들을 떨게 할 수 있지.

그러나 소녀의 배腹들과 살구들,
그늘진 개울의 잉어,
말馬들과 새벽에 나는 오리들,
이 모든 게 꿈이야.

다시 꿈꾸는 건 금지돼 있고,
우린 우리의 기쁨을 망치거나 숨기기에,
말들은 크롬 강철로 만들어지고
작고 뚱뚱한 남자들이 그 말들을 탈 거야.

난 뒤집힌 적 없는 벌레,
하렘[8] 없는 내시여서,

---

8   harem, '한 남자를 따르는 여자들'을 뜻한다.

조지 오웰

사제와 코미사르[9] 사이를
유진 아람[10]처럼 걷지.

그리고 코미사르는 내 운명을 전하네
라디오가 재생되는 동안,
하지만 사제는 오스틴 세븐[11]을 약속하지,
더기[12]는 늘 돈을 내기에.

난 대리석 궁전에 사는 꿈을 꿨네,[13]
깨어 보니 현실이었고.

---

9   commissar. '옛 소련의 인민 위원'을 뜻한다.

10  유진 아람(Eugene Aram, 1794~1759) 영국의 문헌학자, 교육자. 살인죄로 사형당했는데, 직업에 반해 이중적으로 보이는 그의 삶은 이후 여러 문학작품에서 언급됐다. - 옮긴이

11  1922년 출시돼 영국의 자동차 대중화를 이끈 모델이다.

12  Duggie, 한 아마추어 오웰 연구자에 따르면, '더기'는 마권업자 더글러스 스튜어트Douglas Stuart를 가리키는데, 그는 우승 상금을 제대로 주지 않는 마권업자들이 많았던 당시 어기지 않고 '늘 돈을 지불하는 사람'으로 유명했다 한다.

13  'I dreamt I dwelt in marble halls'는 마이클 윌리엄 발페(Michael William Balfe, 1808~1870, 아일랜드의 작곡가)가 1843년 처음 공연에 올린 오페라 〈보헤미안 소녀The Bohemian Girl〉에 담긴 곡 중 하나의 제목이기도 하다.

난 이런 시대에 태어날 사람이 아니었는데,
스미스는 그래? 존스는? 당신은 그랬어?


1936년과 1937년 사이 벌어진 스페인 내전과 기타 사건들은 저울추를 바꾸게 했고, 이후 난 내가 선 곳이 어딘지 알게 되었다. 내가 이해하는바, 1936년 이후 내가 쓴 모든 진지한 작품은 직간접적으로 전체주의에 저항하고 사회민주주의를 옹호하기 위한 것이다. 우리가 처한 이 같은 시대에 이런 주제를 피해 글을 쓸 수 있다고 생각하는 건 난센스처럼 보인다. 모두가 어떤 식으로든 그 주제로 글을 쓴다. 문제는 단순히 어느 쪽에 서고 어떤 접근을 하느냐다. 그리고 자신의 정치적 편향을 더 많이 의식할수록 미적, 지적 고결성을 잃지 않고 정치적으로 행동할 기회가 더 많아진다.

지난 십 년 동안 내가 제일 하고 싶었던 건 정치적인 글을 예술로 만드는 것이었다. 그 시작점은 늘 당파성에 대한 감각과 불공정에 대한 인식이다. 나는 책을 쓰기 위해 앉아 있을 때, '난 예술 작품을 만들어낼 거야'라고 되뇌지 않는다. 폭로하고 싶은 거짓이 있고, 주의를 끌게 하고 싶은 사실이 있기에 글을 쓰고, 발언권을 얻는 게 우선적 관심사다. 하지만 그 글쓰기가 미적인 경험이 아니라면, 책은 커녕 긴 잡지 기사조차 쓸 수 없을 것이다. 내 글을 주의 깊게 읽어본 독자라면 아무리 선전적인 내용일지라도 직업 정치인의 눈에는 정치와 무관한 것으로 보일 만한 내용이 많이 포함돼 있다는 걸 알 것이다. 나는 내가 어린 시절에 체득한 세계관을 완전히 버릴 수 없고 그러고 싶지도 않다. 살아 있는 한 나는 산문 형식에 강하게 끌리고, 지구의 표면을 사랑하며, 확실한 것과 쓸데없는 정보 쪼가리에서 즐거움을 느끼는 걸 계속할 것이다. 나의 이런 면을 억누르려 노력하는 건 아무런 소용이 없다. 남겨진 과제는 이 시대가 우리 모두에게 강요하는 본질적으로 공적이고 비개인적인 활동과 내 안에 내재한 호와 불호를 조화시키는 것이다.

쉽지 않은 일이다. 구성이나 언어에 문제를 일으키고 진실성에 관한 문제도 새로운 방식으로 제기한다. 발생한 어려움의 좀 더 노골적인 한 예를 들어보겠다. 스페인 내전에 관한 내 책 『카탈로니아 찬가』는 솔직히 말해 물론 정치적인 책이지만 대체로는 어느 정도 거리를 두고 썼고, 형식에 대해서도 고민했다. 내 문학적 본성을 해치지 않으면서 모든 진실을 말하기 위해 부단히 애쓰기도 했다. 그러나 책엔, 특히, 프랑코와 모략을 꾸몄다는 혐의로 기소된 트로츠

키주의자들을 옹호하는 신문기사를 잔뜩 인용해놓은 장이 포함되어 있다. 일이 년 후엔 일반 독자라면 누구나 흥미를 잃을 그런 장은 분명 책을 망하게 할 것이다. 내가 존경하는 한 비평가가 이와 관련해 설교를 늘어놓았다. "그 많은 내용을 왜 죄다 집어넣었죠? 좋은 책이 될 수 있었는데 저널리즘으로 만들고 말았어요." 맞는 말이었지만, 달리 쓸 수 없었다. 영국에서 극소수 사람들만 알고 있던, 무고한 사람들이 억울한 누명을 썼다는 사실을 난 우연히 알게 되었다. 그 사실에 분노하지 않았다면 그 책은 절대 쓰지 않았을 것이다.

어떤 형태로든 이런 문제는 또 발생할 것이다. 언어의 문제는 더 미묘해서 논의하려면 너무 길어질 터. 최근 몇 년 동안 덜 아름다우나 더 정확한 글을 쓰려 노력했다고만 말하겠다. 어쨌든 난 특정 스타일의 글쓰기를 완성할 즈음이면 늘 그 스타일을 뛰어넘게 된다는 걸 안다. 『동물농장』은 내가 무엇을 하고 있는지 충분히 인식하면서 정치적 목적과 예술적 목적을 온전히 하나로 융합하려 한 첫 책이었다. 칠 년 동안 소설을 못 썼지만, 조만간 또 다른 작품을 쓰고 싶다. 모든 책이 실패작이듯, 실패할 수밖에 없겠지만, 내가 어떤 유의 책을 쓰고 싶은지는 나름 명확하게 안다.

마지막 한두 쪽을 다시 읽어보니 내 글쓰기의 동기가 전적으로 공익성에 있는 것처럼 보이게 하고 싶었던 듯하다. 그런 인상을 남긴 채 마치고 싶진 않다. 모든 작가는 허영심이 많고, 이기적이고 게으르며, 그들이 품은 동기의 가장 밑바닥에는 미스터리가 숨어 있다. 책을 쓴다는 건 고통스러운 질병을 오래 앓는 것처럼 끔찍하고 진 빠지는 싸움이다. 저항도 이해도 할 수 없는 어떤 악마에 이끌린 게 아니라면 누구도 결코 그런 일은 하지 않을 것이다. 악마란 아기가 관심을 끌려고 악을 써대는 것과 같은 본능일 뿐이란 걸 누구나 알고 있어서다. 하지만 자신만의 개성을 살리기 위해 끊임없이 노력하지 않으면 누구도 읽을 만한 글을 쓸 수 없다는 것 또한 사실이다. 좋은 산문은 창문과 같다. 어떤 동기가 가장 강한지 명확히 말할 순 없지만 어떤 동기를 따라야 할지 나는 안다. 그리고 내 작업을 돌아보면, 정치적 목적성이 부족했을 때 화려하기만 한 구절, 의미 없는 문장, 장식적인 형용사와 요설에 어김없이 배반당했고, 생명 없는 책을 썼다.

Why I Write, 1946

# 작가의 서문

윌리엄 포크너

할아버지는 온건하지만 편협하진 않은, 제법 다양한 서재를 갖고 있었다. 내 조기 교육 대부분이 그곳에서 이루어졌음을 난 이제야 깨닫는다. 할아버지의 취향이 스콧[1]이나 뒤마[2] 같은 단순 직설적인 낭만적 열정이었기에 소설 쪽은 다소 빈약했다. 그러나 할아버지 취향이 아닌 책들도 이질

---

1  월터 스콧(Walter Scott, 1771~1832) 스코틀랜드의 작가, 인문학자. 낭만주의 문학에 큰 영향을 끼쳤다. - 옮긴이

2  알렉상드르 뒤마(Alexandre Dumas, 1802~1870) 프랑스의 소설가. 가장 널리 읽히는 프랑스 작가 중 하나이며 후대 작가들에게 큰 영향을 끼쳤다. - 옮긴이

적으로 산재해 있었는데, 책 면지에 할머니 이름과 1880년대에서 1890년대까지의 날짜가 적혀 있던 것으로 미루어 그녀가 무작위로 고른 책들이었을 것이다. 당시는 멤피스 같은 큰 도시에서도 부인들이 큰 상점이나 구멍가게 앞에 마차를 세우면 점원이 나와, 심지어 주인까지 나와 주문을 받던 시절이었고 주로 여성들이 책을 사고 읽는 것도 여성들이 주로 했던 시절이었다. 이들은 바이런,[3] 클라리사,[4] 세인트 엘모,[5] 로테어[6] 등 낭만적이고 비극적인 삶을 산 남녀 주인공이나 그보다 더 낭만적인 삶을 산 작가의 이름을 따 아이 이름을 짓기도 했다.

그런 책 중 하나가 폴란드 작가 시엔키에비치[7]가 쓴 책

---

3 조지 고든 바이런(George Gordon Byron, 1788~1824) 영국의 시인. 낭만주의 운동의 주요 작가 중 하나며 가장 위대한 영국 시인으로 평가받는다. 전쟁 중 열병에 걸려 서른여섯에 사망했다.

4 버지니아 울프가 1925년에 발표한 장편 소설 『댈러웨이 부인*Mrs. Dalloway*』의 주인공 클라리사 댈러웨이를 가리키는 듯하다.

5 성 엘모(Saint Elmo, ?~303) 이탈리아의 성직자. 본명은 포르미아의 에라스무스Erasmus of Formia이며 잔인하게 죽은 순교자로 유명하다.

6 벤자민 디즈레일리(Benjamin Disraeli, 1804~1881. 영국의 작가, 정치가)가 1870년에 발표, 엄청난 인기를 끈 장편소설 『로테어*Lothair*』의 주인공 로테어를 가리키는 듯하다.

7 헨리크 시엔키에비치(Henryk Sienkiewicz, 1846~1916) 폴란드의 작가. 1905년 『쿠오바디스*Quo Vadis*』로 노벨문학상을 받았다. - 옮긴이

인데, 폴란드가 거의 혼자 힘으로 튀르키예의 중부유럽 장악을 막았던 얀 소비에스키 왕 시대 이야기였다. 당시 출간된 대개의 책이 그랬듯 할아버지가 소장했던 책들엔 서문과 소개말이 있었다. 나는 그것 중 어느 것 하나도 읽지 않았다. 사람들이 무엇을 했는지, 무엇에 고통받고 어떻게 극복했는지에만 열중해서였다. 그런데 이 책만큼은 처음으로 시간을 들여 서문을 읽었는데, 왜 그랬는지는 지금도 모르겠다. 서문은 이런 식으로 이어졌다.

"이 책은 인간의 마음을 고양하고자 온 힘을 다해 쓴 책이다." 난 생각했다. '이렇게 말할 생각을 하다니 얼마나 멋진가.' 하지만 그 이상은 아니었다. '언젠가는 나도 책을 쓰게 될 텐데, 내 책 맨 앞 페이지에 그런 문구를 넣을 생각을 미처 하지 못하다니 얼마나 아쉬운가' 하는 생각 같은 건 하지조차 않았다. 그때는 책을 쓸 생각이 없었기 때문이었다. 그렇게 멀리까지 미래를 조망하지도 않았고, 1915년에서 1916년이었는데, 비행기를 본 뒤였고 머릿속엔 볼, 이멜만, 뵐케, 귀느메르, 비숍[8] 같은 이름들로 가득 찼던 때였다. 충분히 크든 자유로워지든 아니면 다른 어떤 수로든 프랑스로 가 그들처

---

8 제1차 세계대전 당시 활약한 공군 조종사들이다. - 옮긴이

럼 훈장을 달고 영예로워질 날만을 기다리고 견디던.

그 시기는 그렇게 지나갔다. 1923년 책 한 권을 썼을 때, 계속 책을 쓰는 게 운명이자 숙명임을 난 깨달았다. 별다른 외적, 내적 목적 때문이 아니라 오직 책을 쓰기 위한 책 쓰기였다. 출판사가 재정적 위험까지 감수하며 출판할 가치가 있다고 판단한 것이니 누군가는 읽을 거란 건 분명했다. 물론 독자가 글에서 진실과 정직함을 찾아내고 심지어 감동까지 받길 바라긴 했지만, 책을 쓰려는 욕구에 비하면 그건 그리 중요하지 않았다. 나를 몰아붙이는 악마가 내가 여전히 몰아붙일 만한 가치가 있고 내몰림의 고통을 받을만한 자격이 있다고 여기는 동안, 피와 분비샘과 살이 여전히 굳세고 강하게 남아 있는 동안, 마음과 상상력이 어리석음과 욕망, 남녀 영웅주의에 무뎌지지 않고 남아 있는 동안 책을 쓰느라 너무 바빠서였다. 피와 분비샘이 조금 느려지고 차가워진 뒤에도 써야 할 게 있어 계속 쓰고 있노라면 '너도 답을 몰라. 영원히 알지 못할 거야' 하고 마음이 말하기 시작했지만, 좀 더 엄격하고 가혹해졌을 뿐 악마는 여전히 친절했기에 책 쓰기는 계속됐다. 그러던 어느 날 오래돼 반쯤 잊힌 그 폴란드 작가에게 늘 답이 있었단 걸 갑작스레 깨달았다.

인간의 마음을 고양하는 것, 이는 우리 모두에게 같다. 예술가가 되려는 이에게도, 단순한 오락물을 쓰려는 이에게도, 충격을 주기 위해 글을 쓰는 이에게도, 그저 자신과 자신이 처한 고통에서 달아나려는 이에게도.

우리 중 일부는 자신이 이런 이유로 글을 쓰는 것임을 알지 못한다. 우리 중 일부는 요즘 사람들이 왜인지 부끄럽게 여기는 감상주의로 몰려 기소당하고 죄를 자인하고 유죄를 선고받을까 알고도 부인한다. 우리 중 일부는 마음이 자리한 그곳을 이상하게 생각하며 다른 하부 기관인 분비샘과 내부 기관 및 그 기관들의 활동과 마음을 혼동하는 것 같다. 하지만 우리 모두는 이 한 가지 목적을 위해 글을 쓴다.

비록 몇몇 사람에겐 이 목적이 희망 사항이자 심지어 의도이긴 하더라도, 그렇다고 이 말이 우리가 인간을 변화시키고 개선하려 글을 쓴다는 말은 아니다. 끝까지 파고들면, 인간의 마음을 고양하겠다는 이 희망과 욕망은 반대로, 완전히 이기적이며 지극히 사적인 것이다. 글 쓰는 이가 자신을 위해 인간의 마음을 고양하려는 이유는 그럼으로써 죽음에 '아니'라고 말할 수 있어서다. 그는 자신이 고양하고자 하는 마음을 통해, 심지어 제가 죽음에 대해 알고 깨닫고 듣고 믿은 바로 제멋대로 죽음에게 '아니'라고 말할 정도로 마

윌리엄 포크너

음과 혼동시킨 단순한 하부 분비샘의 도움을 통해서라도 죽음에 '아니'라고 말한다. '이 흥분에 참여할 수 있는 마음과 분비샘은 식물의 것이 아니기에, 그리고 이 흥분을 견딜 수 있고 견뎌야만 하기에 적어도 우린 채소가 아니다.'

차가운 비인격적 인쇄물에 고립됨으로써 흥분을 불러일으킬 수 있는 글 쓰는 이는 그렇게 자신이 만들어낸 불멸과 함께한다. 언젠가 더는 존재하지 않겠지만, 남겨진 차가운 인쇄물에 고립된 채 그 자체로 불사의 존재가 된 그는 자신이 숨 쉬고 고뇌했던 공기조차 몇 세대는 떨어진 독자와 편집자들의 마음과 분비샘에 오래된 불사의 흥분을 불러일으킬 수 있을 것이기에, 그런 건 그에게 중요하지 않다. 흥분을 불러일으키는 게 한 번이라도 가능했다면, 죽어 이름만 희미하게 남은 지 오래일지라도 그 한 번은 여전히 강력한 힘을 발휘할 수 있을 것임을 그는 알고 있기에.

1953년 11월
뉴욕에서

Foreword, 1954[9]

---

9 이 글은 1954년 출간된 『포크너 선집 *The Faulkner Reader*』의 서문이다.

# 아몬드나무들

알베르 카뮈

"제가 세상에서 가장 감탄하는 게 무엇인지 아십니까? 그건 바로……."

나폴레옹이 퐁탄[1]에게 말했다.

"무력으로는 아무것도 이룰 수 없다는 사실입니다. 세상에 힘은 오직 두 가지에만 있습니다. 칼과 정신이 그것입니다. 그런데 결국엔 칼이 늘 정신에 패하고 맙니다."

---

1 퐁탄(Louis, marquis de Fontanes, 1757~1821) 프랑스의 시인. 나폴레옹이 파리대학교 총장으로 임명한 인물이다.

정복자들은 이렇듯 때때로 멜랑콜리해진다. 숱하게 얻은 헛된 영광에 조금은 값을 치러야 하는 것이다. 하지만 칼에 대한 백 년 전 진실이 오늘날의 탱크 앞에서도 통할 순 없다. 그사이 정복자들은 승전고를 마음껏 울려댔고, 찢기고 분열된 유럽 전역에는 정신이 결여된 지역이 늘어 음산한 침묵만이 긴 세월에 걸쳐 뿌리내렸다.

플랑드르에 끔찍한 전쟁이 일어났을 때도 네덜란드 화가들은 헛간에서 노니는 수탉을 그릴 수 있었을 것이다. 사람들은 그렇게 백년전쟁조차 잊을 수 있었다. 비록 슐레지엔 신비주의자[2]들의 기도는 아직 몇몇 이들의 가슴에 살아남아 있지만 말이다. 하지만 오늘날은 상황이 변해 화가와 성직자도 징집당한다. 이 세계의 모두는 그렇게 연대 책임을 지게 되었다. 그리고 정신은 한 정복자가 인정해줬던 그 담대함을 잃어버렸고, 칼의 힘을 제압할 수 없게 되자 칼의 힘을 증오하느라 기진맥진이다.

선한 이들은 이 증오도 죄악이라 말할 것이다. 우리는

---

2 슐레지엔은 문화적, 종교적, 역사적으로 매우 복잡했던 중부유럽 지역으로 현재 폴란드와 독일, 체코의 접경 지역에 걸쳐 있다. 중세 후기부터 이 지역에서 형성된 기독교 신비주의는 내적이고 개인적인 경험과 영적 수행을 강조했다.

죄악인지 아닌지는 모르지만 그런 일이 비일비재하다는 건 알고 있다. 이제 문제는 결론을 바로잡는 것이다. 우리는 우리가 원하는 것이 무엇인지 알기만 하면 된다. 다시는 칼 앞에 무릎 꿇지 않는 것, 정신을 섬기지 않는 힘에 다시는 면죄부를 주지 않는 것 말이다.

사실 그건 끝나지 않는 책무다. 그러나 우리는 그 책무를 계속 수행하려 여기에 있는 것이다. 나는 진보에 찬동하는 그 어떤 이성이나 역사철학도 신뢰하지 않는다. 그러나 적어도, 인간이 주어진 운명을 자각하는 가운데 전진하기를 멈춘 적이 없다는 건 믿는다. 우리는 우리의 조건을 극복하진 못했으나 그 조건을 더 잘 알게는 되었다. 우리는 모순 속에 있지만, 그 모순을 거부할 수 있는, 그 모순을 줄일 수 있는 일을 해야 한다는 걸 이제 안다.

우리가 지닌 인간으로서의 책무는 자유로운 영혼의 무한한 불안을 달래줄 몇 가지 방법을 찾는 것이다. 우리는 찢어진 것을 꿰매야 하고, 이토록 명백하게 부당한 세상에서도 정의를 상상하고 그것에 응답해야 하며, 세기의 불행에 중독된 민중에게 행복이 의미 있는 것이 되도록 만들어야 한다. 물론 이것은 초인적인 책무다. 하지만 초인적인 책무란 실은 인간이 수행하는 데 긴 시간이 걸리는 책무를 일컫는 말일 뿐이다.

그러니 우리가 원하는 것을 알아내자. 혹여 칼의 힘이 우리를 유혹하는 어떤 사상이나 쾌락의 얼굴을 하고 있더라도 정신을 확고히 하자. 첫 번째로 해야 할 일은 절망하지 않는 것이다. 세상의 종말을 외치는 자들의 말에 너무 귀 기울이지 말자. 문명은 그리 쉽게 무너지지 않으며, 설사 이 세상이 몰락한다 해도 지금까지 그래왔듯 다른 문명이 뒤를 이을 것이다.

우리가 비극적인 시대를 살고 있는 건 사실이다. 그러나 너무 많은 이들이 비극과 절망을 혼동한다. 로렌스[3]는 말했다. "비극이란 불행에게 가하는 강한 발길질과 같아야 한다." 이것이야말로 건강한 생각이자 곧바로 시도해볼 수 있는 생각이다. 오늘날 이런 발길질을 받아야 할 대상은 한둘이 아니다.

알제에 살 때 난 늘 겨울을 잘 견뎌냈다. 어느 밤에, 이월의 차고 맑은 어느 날 밤에, 레 콩쥘 계곡의 아몬드나무

---

3  D. H. 로렌스(David Herbert Lawrence, 1885~1930) 영국의 시인, 소설가, 산문가.

들이 하얀 꽃으로 뒤덮이리라는 걸 알고 있어서였다. 눈처럼 희고 연약한 그 꽃들이 겨울비와 바닷바람을 견뎌내는 걸 볼 때마다 난 경탄에 사로잡혔다. 꽃들은 해마다 열매를 맺는 데 꼭 필요한 만큼을 끈질기게 견뎌냈다. 이건 어떤 상징 같은 게 아니다. 상징으로는 행복을 얻을 수 없다. 그보다 더 진지한 게 필요하다. 내가 하려는 말은 다만, 불행으로 가득한 이 유럽 땅에서 이따금 삶의 무게가 견디기 힘들 만큼 버거워질 때면, 그토록 무구한 힘을 여전히 그대로 간직한 저 빛나는 도시로 돌아간다는 것이다.

나는 알제를 너무도 잘 알기에, 그곳이 사색과 용기가 균형을 이룰 수 있는 선택받은 땅이란 사실 또한 너무도 잘 안다. 그 땅을 가만히 떠올려 명상하노라면, 정신을 구원하기 위해선 어떻게 해야 하는지 이내 깨닫게 된다. 정신의 미덕 중 신음하고 탄식하는 면모는 뒤로 밀어두고, 정신이 가진 힘과 위엄을 추앙해야 한다는 것 말이다. 이 세상은 불행에 길든 채 자족하고 있는 것 같다. 니체가 아둔한 정신이라고 부른 악에 전적으로 굴복한 듯. 악에 손 내밀지 말자. 정신을 위해 눈물을 흘리는 건 헛된 일이다. 정신을 위해 일하는 것으로 충분하다.

그렇다면 정신의 분명한 미덕은 어디에 있을까? 이번

에도 니체를 인용하면, 니체는 그 미덕을 아둔한 정신의 치명적인 적으로서 열거한 바 있는데, 그것은 바로 기개, 취향, 세계, 고전적인 행복, 굳은 긍지, 현자의 냉철한 검소함이다. 이러한 미덕이 그 어느 때보다 필요한데, 우리는 누구나 자신에게 적합한 미덕을 선택할 수 있지만, 우리를 볼모로 잡은 이 엄청난 게임판 앞에선 어쨌든 기개를 잊어서는 안 된다. 선거 유세장 연단에 올라 눈을 치켜뜨고 협박을 일삼는 자들에게서 볼 수 있는 기개를 말하는 게 아니다. 흰빛과 수액의 미덕으로 겨우내 바닷바람을 견뎌내는 그 나무들의 기개를 말하는 것이다. 이 세계의 겨울 동안 열매를 준비하는 건 바로 그 기개다.

Les Amandiers, 1954

# 나를 위한 글쓰기

조지 기싱

문득 예술이란 '삶에 대한 지극한 열정을 만족스럽게, 그리고 지속적으로 표현하는 것'이라 정의할 수 있지 않을까 하는 생각이 들었다. 이 말은 인간이 고안한 모든 예술 형태에 적용될 수 있다. 위대한 극을 제작하든 나무에 작은 잎 하나를 새기든 창작의 순간 예술가는 자신을 둘러싼 세계의 특정한 한 측면에서 느낀 최고의 즐거움에, 그 자체로 다른 사람이 경험하는 것보다 더 강렬하며 드문 그 활력을 시각적 청각적인 형태로 기록하게 하는 (어떻게 그에게 가닿는지 알지 못하는) 어떤 힘에 의해 강화되고 지속

되는 바로 그 즐거움에 마음이 움직이고 영혼이 고양되기 때문이다. 예술은 어느 정도는 모든 인간의 몫으로 존재한다. 건강과 힘의 단순한 발산으로 멜로디가 될 법한 음정을 흥얼거리는 동틀 무렵 쟁기꾼에게도 말이다. 그는 삶에서 비롯한 뜻밖의 열정에 동하여 노래를 부르거나 부르려 시도한다. 그 범박한 곡조는 오직 그만의 것이다. 역시 쟁기질을 하며 데이지와 들쥐를 노래하고 탬 오 섄터에 대한 시적인 이야기를 지은 사람[1]도 있다. 그에겐 평범한 농부의 영혼을 휘젓는 것보다 가늠할 수 없이 강하고 오묘한 열정이 있었을 뿐 아니라, 인류의 마음에 닿아 오랜 세월 마법적인 힘을 간직한 말과 음악으로 그는 그 열정을 표현해내기도 했다.

최근 몇 년간 이 나라에선 예술이란 무엇인지에 대한 수많은 논의가 있었다. 내가 생각하기로는 빅토리아 시대의 진정한 예술적 충동이 시들어간 때부터, 그 위대한 시절의 기운이 거의 고갈된 때부터 시작된 듯하다. 언제나 실천이 쇠퇴할 때 비로소 무엇인가가 격렬한 논쟁거리로 등장

---

[1] 로버트 번스(Robert Burns, 1759~1796, 스코틀랜드의 음유 시인)를 가리킨다. 「탬 오 섄터Tam O' Shanter」는 농부 탬의 생활을 노래한 설화시다. – 옮긴이

한다. 생각을 깊이 한다고 예술가가 될 수도, 그런 쪽으로 전혀 성장할 수도 없다는 말과 이미 예술가인 사람에겐 의식적인 노력이 전혀 도움이 되지 않는다는 말은 전혀 다르다. 괴테는 (모든 인간적 특성에서 그를 닮지 않은 추종자들이 자주 언급하는) 『파우스트』에 대해선 충분히 생각했다. 하지만 그의 성취 가운데 하찮다고 치부할 수는 없는 젊은 시절 서정시들, 정돈을 위해 멈출 새도 없이 펜이 가는 대로 종이에 휘갈겨 쓴 그 시들은 어떠한가? 내 눈만을 위한 것일지언정 '예술가는 만들어지는 것이 아니라 태어나는 것이다'라는 유구한 진리를 감히 써도 될까? 이 말이 쓸데없는 말 같진 않다. 예술가적 의식이 없고, 문체에 대한 생각 없이 휘갈기며, 정교하게 계획을 세우지 않고(물론 여러분도 알다시피 플로베르[2]는 언제나 그랬다) 글을 시작했다고 스콧을 폄하하는 비평[3]이 들려오는 요즘 같은 시대엔 말이다. 어쨌든, 우리는 왜 윌리엄 셰익스피어의 소위

---

2  귀스타브 플로베르(Gustave Flaubert, 1821~1880) 프랑스의 소설가. 19세기 후반 프랑스를 대표하는 작가다.

3  월터 스콧은 19세기 말부터 20세기 초 자연주의 문학이 대두되던 시기, 작가와 비평가 군에서 비판을 받기도 했는데, 이를 지적한 것으로 보인다. - 옮긴이

예술 작품들이 실은 범죄에 해당할 만큼 부주의하게 쓰였단 얘길 듣지 못했을까? 세르반테스라는 이름의 서투른 작가는 작품에 너무 불성실했던 나머지 한 장에선 산초가 당나귀를 도둑맞았다고 써놓고는 그새 까먹고 이내 아무렇지도 않게 산초가 그 당나귀를 타고 나타나게 하지 않았던가? 새커리[4]는 지극히 '주관적인' 소설 마지막 부분 한쪽에선 패린토시 경의 모친을 죽였다가 다른 쪽에선 살렸다고 뻔뻔스레 말하지 않았던가? 예술에 반하는 이 죄인들은 그럼에도 세계 최고 예술가 중 하나다. 어떤 의미에서, 그리고 어느 만큼은 비평가들이 이해할 수 없는 삶을 살았기에 그렇고, 이들 작품이 삶에 대한 지극한 열정의 만족스럽고 지속적인 표현이기에 그렇다.

당연하게도, 예술에 관한 내 이 정의는 오래전 누군가 생각한 정의일 것이다. 그건 상관없다. 그렇다고 내게 독창성이 없다고 말할 수 있겠는가? 생계를 유지하려면 조금이라도 표절처럼 보이는 걸 피해야 했기에 얼마 전까지만 해도 나는 그럴 가능성이 있을까 전전긍긍했다. 이제 난 포

---

4  윌리엄 새커리(William Makepeace Thackeray, 1811~1863) 영국의 소설가. 디킨스와 함께 19세기 영국을 대표하는 작가다.

핑턴 경[5]과 같은 편에서, 다른 이들이 같은 생각을 했든 말든 신경 쓰지 않고 내 재기의 자연스러운 싹을 기쁘게 받아들이기로 했다. 생각해보자. 내가 유클리드에 대해 전혀 알지 못한 상태에서 유클리드의 기하학 중 가장 단순한 걸 발견했는데, 누군가 유클리드의 책을 가지고 지적한다 해서 내가 의기소침해야 할까? 이 자연스러운 싹들은 결국 우리 인생 최고의 성취며, 세속적 시장에서 가치를 얻고 못 얻고는 그저 우연일 뿐이다. 요즘처럼 자유로운 시대, 내가 의식적으로 노력하는 것 중 하나는 나 자신을 위해 지성적으로 살려는 것이다. 전에는 책을 읽다 감명을 받거나 즐거움을 주는 문구가 있으면 '이용'을 위해 공책에 적어두곤 했다. 한 개의 인상적인 시구나 산문 한 구절도 내가 쓸 수도 있을 글에 적절하게 인용될 만한 것이란 생각 없인 들어오지 않았다. 이는 문학 생활의 악한 결과 중 하나다. 그런 습관적 생각을 버리려 노력하는 지금, 자문한다. 그렇다면 나는 어떤 목적으로 읽고 기억하는 걸까? 일찍이 인간이 자신에게 했던 질문만큼이나 어리석은 질문이다. 우리는 즐

---

5   존 밴브루(John Vanbrough, 1664~1726. 영국의 극작가, 건축가)의 희극 『재발 *The Relapse*』에 등장하는 인물로 부유하지만 이지적이진 못한 인간을 풍자적으로 보여준다. – 옮긴이

거움을 위해, 위안과 강해짐을 위해 읽는다. 그렇다면 즐거움은 순전한 이기심의 발로일까? 한 시간 지속되는 위안과 싸울 일도 없는 강해짐은? 아, 그렇더라도 나는 안다. 알고 있다. 빈둥거리는 듯 보이는 그 책 읽는 시간이 아니었다면, 이 작은 오두막에서 삶이 끝나기만을 기다리며 나는 어떤 마음으로 살 수 있었을까?

 소리 내 읽고 싶은 구절을 만나면 가끔은 들어줄 누군가가 곁에 있었다면 얼마나 좋았을까 하는 생각이 들기도 한다. 좋지만, 공감 어린 이해심으로 변함없이 기댈 수 있는 사람이 이 세상에 있을까? 아니, 내 감상에 대체로나마 동조해줄 사람이 하나라도 있을까? 그런 지성의 일치는 가장 드문 일이다. 우리는 평생 그 일치를 갈구한다. 그 욕망이 악마처럼 우리를 황무지로 몰아간다 해도, 너무 자주 진흙탕과 늪에 빠뜨리는 것으로 끝맺는다 해도 말이다. 그러다 결국 우린 그 상상이 환영에 불과했음을 깨닫는다. 모든 인간에게 정해져 있듯, '너는 혼자 살아야 할지니.' 이 공동운명체에서 달아났다고 상상하는 이는 행복하다. 그렇게 상상하는 동안만큼은 행복하다. 그런 행복을 한 번도 누려본 적 없는 이들은 적어도 가장 쓰라린 각성의 고통은 피할 수 있다. 그러니 편친 않아도 진실을 직시하는 게 항상 더 좋지 않겠는가? 한 번 그리고 영원히 헛된 희망과 연을 끊은 그 마음은 끝없이 자라는 평온함을 보상으로 받으니 말이다.

Spring 20, 1903[6]

---

6 이 글은 『헨리 라이크로프트 수상록』의 일부로, 'Spring' 장 20번 글이다.

# 여성의 직업

버지니아 울프

간사께서 저를 초대하시며, 이 협회는 여성의 취업 문제에 관심이 많으니 제 직업적 경험에 관해 이야기해달라 제안하셨습니다. 그렇습니다. 전 여성인 것이 사실이고, 일하는 사람인 것 또한 사실입니다. 하지만 제가 어떤 직업적 경험을 해봤을까요? 말씀드리기 어려운 주제입니다. 제 직업은 문학이고, 여기엔 공연계를 뺀 다른 어떤 직업군보다 여성들이 적습니다. 제 말은 문학계엔 여성만의 독특한 경험이 적다는 뜻입니다. 이미 오래전 길은 닦였습니다. 저보다 앞선 패니 버니,[1] 애프라 벤,[2] 해리엇 마티노,[3] 제인 오스틴, 조지 엘리엇[4] 같은 많은 유명 여성이, 그리고 알려지지 못한 채 잊힌 더 많은 여성이 길을 평탄하게 했고, 제 걸음걸이도 조정해줬지요. 덕분에 제가 글을 쓰게 되었을 때, 제 길을 막은 물리적 장애물은 별로 없었습니다. 글쓰기는 좋은 평판을 들을 수 있고 해로움도 없는 직업이었지요. 펜을 좀 긁적였다고 가정의 평화가 깨지진 않았습니다. 가계에 무리도 없었고요. 마음만 먹으면 셰익스피어 희곡 전부를 쓸 만큼의 종이를 10실링 6펜스에 살 수 있었으니까요. 작가에겐 피아노나 모델도, 파리나 빈 또는 베를린도, 남성 혹은 여성 후원자도 필요치 않습니다. 그러니까 값싼 원고지 덕에 여성이 다른 직업들보다 먼저 작가로 성공할 수 있

---

1  프랜시스 버니(Frances Burney, 1752~1840) 영국의 소설가, 일기 작가, 극작가. 마담 다르블레Madame d'Arblay로도 불리며 가장 뛰어난 영국 작가 중 한 명이자 제인 오스틴 등 후대 풍자적 성향 작가들에게 큰 영향을 끼친 작가로 평가받는다.

2  애프라 벤(Aphra Behn, 1640~1689) 영국의 극작가, 시인, 산문가, 번역가. 글쓰기로 생계를 꾸린 최초의 영국 여성 중 하나로 울프를 비롯한 후대 여성 작가들에게 가장 큰 영향을 끼친 여성 작가로 평가받는다.

3  해리엇 마티노(Harriet Martineau, 1802~1876) 영국의 사회이론가, 소설가, 번역가. 노예 제도 폐지 운동에 평생 헌신해 가장 위대한 미국 노예 폐지론자라는 평가를 받으며, 영국 최초의 여성 사회학자로 여겨진다.

4  조지 엘리엇(George Eliot, 1819~1880) 영국의 시인, 소설가, 번역가, 언론인. 본명은 메리 앤 에번스Mary Anne Evans로 빅토리아 시대 가장 중요한 작가 중 하나다.

었던 거지요.

그건 그렇고, 여러분께 들려드리려는 제 이야기는 간단합니다. 여러분은 한 손에 펜을 든 침실 안 소녀를 떠올리기만 하면 됩니다. 소녀는 펜을 왼쪽에서 오른쪽으로, 그러니까 열 시 방향에서 한 시 방향으로 움직이기만 하면 되었는데요. 그러다 그 종이 중 몇 장을 봉투에 넣고 귀퉁이에 1페니짜리 우표를 붙여 길모퉁이 우편함에 넣는 아주 간단하고 비용도 들지 않는 일이 마침내 떠올랐습니다. 저는 그렇게 저널리스트가 되었습니다. 그다음 달 첫째 날, 제겐 아주 영광스러운 그 날, 편집자의 편지와 함께 1파운드 10실링 6펜스 수표가 든 봉투를 노력에 대한 보상으로 받았고요. 하지만 제가 얼마나 전문직 여성으로 불릴만한 자격이 없는지, 그런 삶의 고난과 어려움을 얼마나 모르는지 알려드리려면, 그 돈을 빵과 버터를 사거나 집세를 내거나 신발과 스타킹을 사거나 정육점에서 고기를 사는 데 쓰는 대신 아름다운 고양이 한 마리를, 얼마 안 가 이웃들과 심한 말다툼을 벌이게 한 페르시안 고양이 한 마리를 샀다는 걸 고백해야 합니다.

글을 쓰고 그 소득으로 페르시안 고양이를 사는 것보다 쉬운 일이 있을까요? 그런데 잠깐만요. 글은 무언가를 다루어야 합니다. 제 글은, 제 기억으로는 어느 유명한 남성 작가가 쓴 소설에 관한 글이었고요. 그 서평을 쓰는 동안 저는 서평을 쓰려면 어떤 환영과 싸워야만 한다는 사실을 깨달았습니다. 그 환영은 여성이었는데, 그녀에 대해 좀 더 알게 되곤 유명한 시의 여주인공 이름을 따 '집 안의 천사'[5]라 불렀습니다. 제가 서평을 쓸 때면 종이와 저 사이에 끼어들던 여성이었지요. 저를 괴롭히고 저의 시간을 낭비하고 심한 고통까지 안겨준 존재였기에 저는 급기야 그녀를 죽였습니다. 젊고 행복한 세대에 속하는 여러분은 그녀에 대해 들어보지 못했을 수도 있습니다. 제가 말하는 '집 안의 천사'가 무엇을 뜻하는지 모를 수 있지요. 할 수 있는 한 간략하게 그녀에 관해 설명해드리겠습니다. 그녀는 동정심이 아주 많습니다. 엄청나게 매력적이고요. 지극히 이타적이기도 합니다. 그녀는 가정생활이라는 어려운 일에도 뛰어납니다. 매일 자신을 희생하기도 하는데요. 닭고기가 있으면 다리를 집고, 외풍이 들어오는 데가 있으면 거기에 앉습니다.

---

[5] 코번트리 팻모어(Coventry Kersey Dighton Patmore, 1823~1896. 영국의 시인, 문학평론가)의 서사시로 1854년부터 1862년까지 4부작으로 나누어 출간되었다. 가정을 위해 희생하고 남편에게 순종하는 빅토리아 시대 가장 이상적인 여성상을 그려낸 작품이라는 평가를 받은 한편, 당대 페미니스트들에겐 여성의 희생을 강조한 작품이라는 비난을 받았다.

자신만의 마음이나 소망이 없고 다른 사람의 마음이나 소망에 공감하는 걸 늘 더 좋아하는 거지요. 무엇보다 그녀는 말할 필요도 없게 순결합니다. 그 순결함이야말로, 붉은 얼굴, 그 위대한 우아함이야말로 그녀의 가장 큰 아름다움이지요. 빅토리아 여왕 말기에는 모든 집에 이런 천사가 있었습니다. 그리고 전 글을 쓰게 되었을 때, 첫 단어를 쓴 바로 그때 그 천사를 맞닥뜨렸지요. 그녀의 날개 그림자가 제 종이 위에 내려앉았고, 방 안에선 그녀의 치맛자락이 바스락거리는 소리가 들렸습니다. 정확히 말하면, 그 유명 남성 작가의 소설평을 쓰려 펜을 손에 쥐자마자 그녀는 제 뒤로 다가와 속삭였습니다. "얘, 너는 젊은 여자야. 남자가 쓴 책에 대한 글을 쓰고 있고. 호의적이고, 부드럽고, 아첨하고, 현혹하는 사람이 돼야 해. 우리 여성이 쓸 수 있는 모든 기술과 책략을 이용하렴. 절대 너만의 생각이 있는 양 보이면 안 돼. 무엇보다, 순결해야 해." 그러면서 그녀는 제 펜의 안내자인 양 굴었지요. 비록 그 공은 얼마간의 유산을 남겨준 훌륭한 조상님 몫으로 돌려야 하지만, 이제 생색낼 만한 행동 하나를 이야기할까 합니다. 일 년에 500파운드라고 해볼까요? 그 돈 덕분에 전 생계를 꾸리기 위해 제 매력에만 의존할 필요가 없었습니다. 저는 몸을 돌려 천사의 목을 잡았습니다. 사력을 다해 천사를 죽이려 했지요. 이 일로 제가 법정에 선다면 정당방위라 변호하려 했습니다. 제가 그널 죽이지 않았다면 그 천사가 절 죽였을 테니까요. 그녀는 제 글에서 저만의 생각을 뽑아내려 했으니까요. 펜을 집어 종이 위로 가져갔을 때 곧바로 알아차렸듯 자기만의 의식 없이는, 인간관계나 도덕성, 성별에 대해 진실이라고 생각하는 걸 표현하지 않고서는 소설평 따위도 쓸 수 없으니까요. '집 안의 천사'는 여성은 이런 질문들을 자유롭게, 공개적으로 다룰 수 없다고 했으니까요. 여성은 유혹하고 회유해야 하며, 성공하려면 (솔직히 말해) 거짓말을 해야 한다고 했으니까요. 그래서 전 그녀의 날개 그림자나 후광이 제 원고 위에 드리워질라치면 잉크병을 들어 그녀에게 던졌습니다. 하지만 쉽사리 죽진 않았어요. 그녀의 허상성이 그녀에게 강력한 도움을 줬으니까요. 실재하는 것보다 환영을 죽이는 게 훨씬 더 힘듭니다. 제가 떨쳐버렸다고 생각했을 때, 그녀는 항상 다시 기어들어 왔지요. 결국엔 그녀를 죽였노라고 자찬하지만, 싸움은 치열했습니다. 그리스어 문법을 배우는 데, 전 세계를 모험하는 데 유용하게 쓸 만큼의 시간보다 더 많은 시간이 들었지요. 하지만 이는 실제 경험, 그 시절 모든 여성 작가가 겪을 수밖에 없던 경험이었습니다. '집안의 천사' 죽이기는 여성 작가라면 해야 할 일 중 하나였던 거지요.

아무려나 제 이야길 잇겠습니다. '천사'는 죽었습니다. 그럼 뭐가 남았을까요? 남은 건 수수하고 평범한 무언가, 즉 잉크병이 있는 침실 안 젊은 여성이라 말할 수 있습니다. 다시 말해, 거짓된 자신을 떨쳐내고 오롯이 '그녀 자신'으로 남은 젊은 여성 말이지요. 아, 그런데 '그녀 자신'이란 뭘까요? 제 말은, 여성이란 뭘까요? 장담하건대, 저는 모릅니다. 여러분은 알리라 생각지도 않고요. 인간이 할 수 있는 모든 예술과 직업에서 여성이 자기 자신을 표현할 수 있을 때까진 누구도 알 수 없으리란 확신도 있지요. 실은 이것이 여러분께 경의를 표하려 이 자리에 오게 된 이유 중 하나입니다. 여러분은 여성이 무엇인지에 대한 실험 과정을 우리에게 보여주고 있고, 실패와 성공을 통해 매우 중요한 정보를 우리에게 제공해주고 있으니까요.

다시 제 직업적 경험 이야길 이어가겠습니다. 전 첫 서평으로 1파운드 10실링 6펜스를 벌었고 그 돈으로 페르시안 고양이를 샀습니다. 그러고 나니 야망이 자라더군요. 페르시안 고양이도 좋았지만, 페르시안 고양이만으로는 충분치 않았다는 말입니다. 자동차가 있어야 했죠. 그래서 소설가가 됐습니다. 이야기를 들려주면 사람들이 자동차를 주는 아주 신통한 일 때문이지요. 더 신통한 건 이야기를 들려주는 것만큼 즐거운 일이 세상에 없다는 겁니다. 유명한 소설의 서평을 쓰는 것보다 훨씬 더 즐거운 일이지요. 그렇긴 하더라도, 제가 이곳 간사님 제안에 따라 소설가로서 제 직업적 경험을 이야기하려면 소설가로서 제게 닥친 몹시 이상한 경험에 관해 전해야만 합니다. 그리고 그 경험을 이해하려면 여러분은 먼저 소설가의 정신 상태를 상상해봐야 하고요. 소설가의 가장 큰 욕망은 가능한 한 무의식 상태에 있는 것이라고 말하는 게 직업적 기밀을 누설하는 게 아니길 저는 바랍니다. 소설가는 자신을 영구적인 무기력 상태로 이끌어야 합니다. 그는 삶이 최대한 고요하고 규칙적으로 이어지길 바랍니다. 그는 자신이 살고 있는 환상이 깨지지 않도록 글을 쓰는 동안 매일, 매달 같은 얼굴만 보고 싶어 하고, 같은 책만 읽고 싶어 하며, 같은 일만 하길 원하지요. 주변을 느끼며 눈길을 던지다간 느닷없이 달려들어 갑작스레 발견하는, 수줍음 많고 실체가 없는 정신인 상상력의 신비로운 탐색 능력이 그 어떤 것에도 방해받거나 불안해지지 않게 말입니다. 이런 상태는 남성과 여성 모두에게 해당하리라 생각합니다. 바라건대, 제가 무아지경에서 소설을 쓰고 있다고 상상해보세요. 바라건대, 펜을 손에 쥔 채 앉아 있는 한 소녀가 몇 분

동안, 실제로는 몇 시간 동안 잉크병에 펜을 담그지 못하는 모습을 상상해보세요. 이 소녀를 생각할 때 제게 떠오르는 이미지는 깊은 호수에 낚싯대를 드리운 채 꿈속에 잠겨 누워 있는 한 낚시꾼의 형상입니다. 그 소녀는 상상의 나래를 펼쳐 무의식 깊은 곳에 잠겨 있는 모든 바위와 세상 구석구석을 거침없이 쓸고 있었는데요. 그때 그 경험, 제가 보기엔 남성 작가보다는 여성 작가에게 흔한 경험이 찾아옵니다. 낚싯줄이 소녀의 손가락을 타고 움직입니다. 소녀의 상상력은 잽싸게 달려가지요. 가장 큰 물고기가 잠들어 있는 호수 저 아래 깊고 어두운 곳을 찾아낸 겁니다. 그리고 곧 요란한 소리가 나지요. 폭발이 일어난 겁니다. 거품과 혼란이 이어지고요. 상상력은 단단한 무언가에 부딪힙니다. 소녀는 꿈에서 깨어나고요. 깨어난 소녀는 실제로 가장 심각하고 힘든 고통의 상태에 처해 있습니다. 있는 그대로 표현하자면 소녀는 몸에 관한 무언가, 여성이 말하기엔 적절치 않은 열망에 대한 무언가를 생각하고 있었지요. 소녀의 이성은 남성들이 충격받을 거라 말합니다. 자신이 품은 열정에 관해 진실을 말하는 여성에 대해 남성들이 뭐라고 말할까 하는 자각이 소녀를 예술가적 무의식 상태에서 깨어나게 하고요. 소녀는 더는 글을 쓸 수 없습니다. 무아지경은 끝나고요. 상상력도 더는 작동하지 않습니다. 이것은 여성 작가들에게는 아주 흔한 경험이라 생각합니다. 그들은 다른 성별이 만든 엄격한 관습에 가로막히지요. 자신들에겐 이러한 측면에 크나큰 자유를 많이도 허락하는 남성들이 그에 대한 여성의 자유를 비난하는 일이 가진 극도의 심각성을 깨닫고는 있는지, 이를 통제할 수나 있는지 저는 의심스러울 따름입니다.

    이것들이 저에겐 매우 진실된 두 개의 경험입니다. 제 작가 생활의 두 가지 모험이기도 하지요. 첫 번째 모험인 '집 안의 천사' 죽이기, 이건 해결했다고 생각합니다. 그녀는 죽었으니까요. 하지만 두 번째, 제 몸의 경험을 진실되게 전하는 모험은 아직 해결 못 한 것 같습니다. 이 모험을 해결한 어떤 여성도 아직은 없는 듯하고요. 여성을 막아서는 장애물은 너무도 강력할뿐더러 그 장애물을 규정하는 것조차 몹시 어렵습니다. 겉으로 보기에, 책을 쓰는 것보다 단순한 일이 있을까요? 겉으로만 보면, 남성보다 여성을 더 가로막는 장애물이 있을까요? 제 생각엔, 안을 들여다보면, 상황은 아주 다릅니다. 여성에겐 여전히 싸워야 할 수많은 유령과 극복해야 할 수많은 편견이 있습니다. 여성이 죽여야 할 유령, 부딪혀야 할 바위를 찾지 않고도 책을 쓰려 자리에 앉을 수 있기까진 실로 오랜 시간이 걸리리라 생각되

고요. 그나마 여성이 가질 수 있는 가장 자유로운 직업인 문학이 이렇다면 여러분이 처음으로 진입하게 될 새로운 직업들은 어떨까요?

시간이 허락된다면 여러분께 꼭 드리고 싶은 질문들이 있는데요. 진심으로 제가 제 직업적 경험을 강조한 까닭은 다른 방식으로나마 여러분도 경험한 일일 거라 짐작해서입니다. 명목상으론 길이 열려 있고, 여성도 마음먹은 대로 의사나 변호사, 정치가가 될 수 있다지만, 제가 보기엔 그 길엔 수많은 유령과 장애물이 있을 것입니다. 그 유령과 장애물이 무엇인지 논의하고 정의하는 건 매우 가치 있고 중요한 일이라 생각하고요. 그래야만 노동을 공유할 수 있고 어려움을 해결할 수 있기 때문이지요. 하지만 그것 말고도 우리가 싸우는 목적과 목표에 대해서도, 이 어마어마한 장애물들과 벌이는 전투가 무엇을 위한 것인지도 논의할 필요가 있습니다. 이 목적과 목표를 당연한 것으로 받아들여선 안 되고 끊임없이 의문을 제기하고 검토해야 한다는 말입니다. 저는 도무지 헤아릴 수 없는 다양한 직업을 가진 여성들이 역사상 처음으로 모여 있는 이 자리는, 제겐 모든 면에서 몹시도 흥미롭고 중요한 자리입니다. 여러분은 이제껏 남성이 전유했던 집 안에 자기만의 방을 얻었습니다.

엄청난 노동과 노력을 쏟아야 하지만 집세도 낼 수 있게 되었고요. 일 년에 500파운드는 벌고 있습니다. 하지만 이 자유는 시작일 뿐입니다. 방은 여러분 것이지만 아직 휑댕그렁하지요. 가구도 들여야 하고, 꾸미기도 해야 하고, 사람들과 함께 쓰기도 해야 합니다. 어떤 가구를 들이고 어떻게 꾸밀 건가요? 누구와 어떤 조건으로 그 방을 함께 쓸 건가요? 이 질문들이, 제 생각엔 가장 중요하고 흥미로운 질문들입니다. 여러분은 역사상 처음으로 이런 질문들을 던질 수 있고, 그 대답이 무엇이어야 하는지 스스로 결정할 수 있고요. 기꺼이 남아 이 질문들과 답들에 대해 토론하고 싶지만, 오늘 밤은 아닙니다. 제게 주어진 시간이 다 됐고, 저는 마쳐야만 하니까요.

Professions for Women, 1942[6]

---

6  이 글은 1931년 '여성 봉사 연맹The Women's Service League'이라는 단체 행사를 위해 쓰고, 직접 읽기도 한 글이다.

고독,
존재의
심연으로부터

# 불안의 서
# 83

페르난두 페소아

덧없이 흘러가는 삶, 그 안을 휘몰아치는 소용돌이와 회오리! 도심 넓은 광장에는 다양한 색이 차분하게 뒤섞인 인파가 물살이 되어 흐른다. 굽이치고 웅덩이를 이루고 작은 개울로 나뉘다 이윽고 하나의 천으로 모여든다. 나는 눈동자를 이리저리 굴리며 물의 이미지를 마음속에 그려넣는다. 곧 비가 내릴 것 같기에, 이 불분명한 움직임들을 묘사하기엔 물의 이미지가 무엇보다 잘 어울리기에.

말하고자 하는바 그대로의 의미를 담은 위 문장을 쓰

고 나서 나는 생각했다. 책을 낸다면, 책 끝에 색인 난을 만들고 '오류' 항목을 두고는 그 아래에 '오류 없음'이라 표시하는 것도 좋겠다고. 그러고는 주석을 덧붙이는 것이다. 어떤 페이지의 '이 불분명한 움직임들'이라는 구절은 단수 수식어와 복수 명사의 조합으로 이루어져 있으나, 옳은 표현이라고. 문법적 오류가 내가 품은 생각과 무슨 관계가 있단 말인가? 아무 상관도 없다. 그러니 계속 생각이나 하자.

바퀴 달린 거대한 성냥갑 같은 노란색 전차들이 으르렁거리며 광장 외곽을 달린다. 전차 위 돛대처럼 달린 집전봉은 어린아이가 비스듬히 꽂아놓은 다 탄 성냥개비 같다. 시끄러운 금속성 호각 소리와 함께 멈췄던 전차가 다시 움직인다. 광장 한가운데 조각상 주변에 있던 비둘기들이 바람에 흩어지는 검은 빵 부스러기처럼 황급히 허공으로 날아오른다. 총총거리는 조그만 발 위에 얹힌 살진 몸. 그들은 그림자다, 그림자…….

가까이서 보면 인간은 서로 다르다는 점에서 단조로울 정도로 똑같다. 비에이라[1]에 따르면, 소자[2]는 이를 '특수성을 지닌 평범성'이라 설명했다 한다. 속세의 인간은 평범하기에 특별하다. 『대주교의 생애』[3]에 등장하는 삶과는 대조적으로 말이다. 나는 양쪽 다 슬프다고 느끼면서도 동시에 아무래도 상관없다고 생각한다. 다른 모든 존재처럼 나 또한 아무 이유 없이 이 세상에 태어났다.

동쪽을 바라보면, 성곽을 덮치듯 수직으로 솟은 도시 일부가 보인다. 갑작스레 시야에 들어온 건물들 위로는 창백한 태양이 축축하고 희미한 후광을 드리운다. 하늘은 희끄무레하면서도 푸른빛이 돈다. 오늘도 비가 내릴지 모른다. 어제처럼 거센 비는 아닐 것이다. 문득 근처 시장에서 파는 잘 익은 과일과 싱싱한 채소 냄새가 바람결에 풍겨온다. 동풍이 부는가 보다. 광장 서쪽보단 동쪽에 외지인이 많다. 주름진 철제 셔터가 천으로 감싼 총을 쏜 것 같은 쿵 소리를 내며 위로 내려간다. 왠지 그 소릴 옮기려면 이렇게 표현해야만 할 것 같다. 보통은 셔터가 내려갈 때 나는 소리지만, 방금은

---

1 안토니오 비에이라(António Vieira, 1608~1697) 포르투갈과 브라질에서 활동했던 외교관, 선교사, 작가. ‒ 옮긴이

2 프레이 루이스 드 소자(Frei Luís de Sousa, 1555~1632) 포르투갈의 수도승, 산문가. ‒ 옮긴이

3 소자가 D. 프레이 톨로메우 대주교의 생애에 관해 쓴 책이다. ‒ 옮긴이

셔터가 올라갔으니까. 모든 오류에는 다 이유가 있다.

    불현듯 혼자가 된다. 영혼의 지붕 위에 서면 세상 모든 풍경이 내려다보인다. 홀로인 내 모습도 보인다. 본다는 것은 뒤로 물러난다는 것이다. 명료하게 본다는 것은 멈춰 선다는 것이다. 분석한다는 것은 이방인이 된다는 것이다. 사람들은 나를 지나쳐간다. 옷깃 하나 스치지 않고. 내 주위에는 공기뿐이다. 너무나도 고립된 느낌이다. 옷과 몸 사이의 간격을 의식할 정도로. 나는 어린아이다. 꺼질 듯 말 듯 한 등불을 든 채 잠옷 차림으로 텅 빈 저택을 가로지른다. 그림자들이 나를 둘러싼다. 오직 그림자들만이, 딱딱한 사물과 빛이 낳은 자식들만이 나와 함께한다. 여기 이 햇빛 아래서도 그림자들은 나를 둘러싸고 있다. 하지만 그건 모두 사람의 그림자.

Livro do Desassossego 83, 1982 [4]

---

4  이 글은 페소아의 유고를 정리해 출간한 『불안의 서』에 처음 실렸다. 페소아 연구자들은 이 책에 담긴 글들이 1913년에서 1935년 사이에 쓰인 것이라 판단하는데, 정확한 집필 시기는 아직 확정된 바 없다.

# 턱시도


프란츠 카프카

그동안 나는 나쁜 자세와 불편한 옷에 길든 나머지 구부정한 등에 삐딱한 어깨를 하고 두 팔은 어색하게 늘어뜨린 모습으로 걸어 다녔다. 피할 도리 없이 추한 모습이 보였기에 거울 앞에 서는 것조차 두려웠다. 그러면서도 거울에 비친 게 전적으로 사실일 리는 없다고 생각했다. 그렇다면 훨씬 더 시선을 끌었을 테니 말이다. 일요일 산책을 나설 때마다 어머니는 내 등을 쿡쿡 찌르며 막연한 훈계와 예언을 늘어놓았지만, 그것도 참아넘겼다. 내 현실적인 고민들과는 하등 관련이 없어서였다.

나라는 사람은 다가올 미래를 대비할 능력이 눈곱만큼도 없었다. 사고력이 약해지지 않는 한에서라면 오로지 현재의 일과 현재의 상태에만 골몰했다. 특별히 철저한 태도나 확고한 관심사를 가져서는 아니었다. 그저 슬픔과 두려움 때문이었다. 슬픔 때문이란, 내게는 현재가 너무나 슬펐다는 뜻이다. 행복이 찾아와 슬픔을 씻어주기 전까지는 현재를 벗어날 수 없다고 믿었다. 두려움 때문이란, 작은 걸음 하나 내딛는 것조차 두려웠다는 뜻이다. 나는 스스로를 무가치한 존재로, 유치한 행동이나 일삼는 경멸스러운 인간으로 여겼다. 위대하고 남성적인 미래가 어떤 건지 진지하고 책임감 있게 거론할 자격이 없는 사람만 같았다. 그런 미래가 나의 삶에서는 불가능해 보였기 때문에 전진을 위한 모든 과정이 거짓 같았고, 바로 다음 걸음조차 도달할 수 없는 목표 같았다.

현실적 진보보다는 불가사의한 기적을 인정하는 편이 오히려 더 쉬웠다. 더구나 난 진보와 기적, 이 각기 다른 두 영역을 뒤섞기엔 너무 냉정한 사람이었다. 나는 오래전부터 침대에 누워 잠들기 전 이런 상상에 빠져들 수 있었다. 이를테면 부자가 된 내가 사륜마차를 끌고 유대인 거리를 지나던 중 아리따운 소녀가 부당하게 두들겨 맞고 있는 것을 보고는 한 마디 멋진 말로 소녀를 구해낸 뒤 마차에 태워 떠나는 것이다. 아마도 불건전한 성욕이 오랜 기간 키워 온 자아상일 테다. 다른 한편, 이런 즐거운 착각에 전혀 영향받지 않는 굳건한 확신 또한 나는 갖고 있었다. 기말시험에 합격하지 못하리라는 확신, 만약 합격하더라도 다음 학년으로 올라가지 못하리라는 확신, 속임수를 써 승반한다 해도 영원히 졸업 시험을 통과하지 못하리라는 확신이었다. 그리하여, 귀가해 위층 방으로 올라가는 내 규칙적인 발소리를 들어야 안심하고 잠에 드는 부모님도 언젠가는 아들의 전례 없는 무능력이 탄로 나 다른 사람들과 마찬가지로 경악하고 말 것이라 나는 굳게 믿었다.

나의 무능함만을 미래의 이정표로 삼다 보니(드물게는 내가 쓴 하찮은 작품을 이정표 삼기도 했지만) 미래에 관해 생각하는 일이 내겐 아무 도움도 되지 않았다. 오직 현재의 슬픔을 지속시킬 따름이었다. 내 모습에 관해서도 마찬가지였다. 마음만 먹으면 똑바로 걸을 수 있었지만 곧 피곤해졌고, 구부정한 자세가 미래에 어떤 해를 끼치는지도 몰랐다. 만약 내게 미래가 있다면 이 모든 문제는 저절로 해결될 것 같았다. 물론 미래에 관한 어떤 확신이 있어 그런 미래관을 갖게 된 건 아니었다. 미래가 존재할 거란 확신조차 없었으니까. 그저 현재 삶을 더 수월하게 만드는 게 내 유일한 목표였다. 혼자 산책하고, 혼자 옷을 입고, 혼자 씻고, 혼자 책을 읽고, 무엇보다도 집안에 갇혀 지내는 것. 이런 것들이 내겐 가장 문제를 덜 일으키고 딱히 용기도 필요로 하지 않는 삶의 방식이었다. 그 이상으로 나아가려 하면 아예 현실에서 탈출하는 우스꽝스러운 방법들밖에 생각나지 않았다.

그런데 어느 날, 더는 검은색 연회복 없이 살아갈 수 없겠다는 생각이 들었다. 한 댄스 모임에 참여할지 말지 결정을 앞둔 상황이었기에 더욱 그랬다. 누슬레의 재단사를 불러 이 문제에 관해 의논했는데, 우유부단한 나는 늘 그랬듯 쉽게 결정을 내리지 못했다. 명확하게 대답했다 뭔가 유쾌하지 못한 쪽으로 상황이 전개되면 어쩌나, 심지어 상황이 더 나빠지면 어쩌나 두려웠다. 사실 처음엔 검은색 옷을 입고 싶은 마음 따윈 전혀 없었는데, 이참에 연회복 한 벌 정도는 마련하는 게 어떻겠냐는 재단사의 제안을 받아들이게 된 것도 행사용 의복이 하나도 없다는 지적이 창피해서였다. 그런데 그 연회복마저 무슨 끔찍한 대격변이라도 되는 듯 여겼기에 계속된 논의에도 어떤 종류의 연회복을 맞출지 결정을 내리지 못하다가 결국 합의를 본 게 턱시도였다. 일반 재킷과 비슷하게 생긴 터라 그 정도면 나도 용인할 수 있겠다는 생각이 들었다.

 그러나 턱시도는 목이 깊이 파여 있어 안에 풀 먹인 셔츠를 갖춰 입어야 한다는 말을 들었을 때, 난 평소답지 않게도 단호하게 반대해야겠다 결심했다. 나는 즉시 그런 턱시도는 원하지 않으며, 턱시도여야 한다면 실크로 안감을 대고 여밈을 높게 재단한 걸 원한다고 말했다. 재단사는 그런 턱시도를 만들어본 적이 없었다. 그는 내게 어떤 턱시도를 상상했든 춤출 때 입는 의상은 되지 못할 거라고 대답했다. '좋다, 춤출 때 입는 의상이 아니라고 하자.' 사실 난 춤을 추고 싶은 마음이 전혀 없었다. 게다가 확실히 정해진 일정도 없었다. 다만 나 자신을 위해 조금 전 묘사한 그런 옷을 맞추고 싶었을 뿐이다. 지금껏 나는 새 옷을 맞출 때마다 늘 쑥스러워하며 치수를 재고 일일이 신경을 쓰지도 않으며 어떤 의견이나 요구사항을 말해본 적도 없는 손님이었는지라 재단사는 더욱 갈피를 잡지 못했다. 그리하여,

어머니의 다그침 때문이기도 하지만, 나는 민망함을 무릅쓰고 그와 함께 구시가지 광장을 가로질러 옛날 옷을 파는 상점까지 갈 수밖에 없었다. 상점 진열장엔 오래전부터 내가 조금 전 묘사한 단정한 디자인의 턱시도가 전시되어 있었고, 길을 지나다 그 옷을 보곤 나도 입을 만하겠다고 생각한 적이 있던 터였다.

하지만 불행히도 턱시도는 진열장에서 치워진 상태였다. 유리문으로 열심히 들여다보았지만, 상점 안에도 턱시도는 없었다. 그렇다고 턱시도 하나를 찾으려 상점 안까지 들어갈 용기는 나지 않았다. 우리는 다시금 애초의 의견 불일치 상태로 돌아왔다. 게다가 한 차례 허탕을 치고 돌아왔더니 미래의 턱시도가 이미 저주받은 옷만 같았다. 나는 말다툼하느라 서로 좀 불쾌해진 걸 구실 삼아 약간의 위로금과 다른 소소한 일감을 줘 재단사를 돌려보내고는 어머니의 책망을 뒤로하고 피로해진 채 홀로 남았다. 아가씨들, 우아한 옷차림, 사교 댄스홀, 그 모든 것들로부터 영원히(내겐 그 모든 일이 처음부터 영원처럼 느껴졌다) 멀어진 채 홀로. 그 순간 나는 행복을 느꼈다. 동시에 비참한 기분이 들기도 했다. 그리고 곧 재단사 앞에서 일찍이 그 어떤 손님도 한 적 없는 바보짓을 한 게 아니었을까, 두려워졌다.

1911년 1월 2일 일기에서

# 심연으로부터

오스카 와일드
———

그리고 삶이 내게 문제인 게 확실하다면, 나도 삶에 골칫거리일 수밖에 없어. 사람들은 특정한 태도로 나를 대해야 하고, 이를 통해 그들 자신과 나에 대한 판단을 내려야 하지. 내가 사람들 개개인에 관해 얘기하는 게 아니란 건 말할 필요도 없을 거야. 내가 지금 함께하고픈 사람은 예술가들과 고통에 처한 이들뿐이야. 아름다움이 무엇인지 아는 사람들, 슬픔이 무엇인지 아는 사람들 말이지. 이들 말곤 누구도 내 관심 밖이야. 나는 삶에 바라는 것도 없어. 내가 말한 모든 것 중, 난 삶 전체에 대한 내 정신적 태도에만 관심이 있을 뿐이야. 그리고 난 처벌받은 걸 부끄러워하지 않는 게 내가 해야 할 첫 번째 일이라 느껴.[1] 나 자신의 완전함을 위해, 그리고 난 너무도 불완전하기에.

그런 다음, 난 행복해지는 법을 배워야 해. 한때는 본능적으로 알았거나 안다고 생각했지. 그때 내 맘속은 항상 봄날이었어. 내 기질은 기쁨에 가까웠지. 잔에 와인을 가득 채우듯 내 삶을 즐거움으로 가득 채웠더랬어. 이제는 완전히 새로운 관점으로 삶에 접근하고 있고, 때로는 행복을 맘속에 품는 것조차 너무 어려워. 옥스퍼드 첫 학기에 페이터[2]의 『르네상스』, 내 삶 전반에 기이한 영향을 끼친 그 책에서 단테가 어떻게 슬픔 속에 살고자 하는 사람들을 지옥 아래쪽에 두었는지 읽었던 기억이 나. 학교 도서관에 가 『신곡』에서 음산한 습지 아래 누워 있는, '달콤한 공기를 언짢아하고' 한숨과 함께 끊임없이 이렇게 말한다는 이들을 찾았던 기억도.

---

1   이 글을 쓸 당시 와일드는 동성애 혐의로 복역 중이었다. 덧붙여, 이 글은 와일드가 동성 연인 앨프리드 더글러스(Alfred Douglas, 1870~1945. 영국의 시인)에게 쓴 옥중 편지이기에 구어체로 옮겼다.

2   월터 페이터(Walter Pater, 1839~1894) 영국의 미학자. 대표작으로 『르네상스 미술과 시에 관한 연구 *The Renaissance Studies in Art and Poetry*』가 있다.

따스한 햇볕과 달콤한 공기에도
우린 슬펐거늘[3]


   교회에서 나태를 죄악시한다는 건 알고 있었어. 하지만 그런 생각 자체가 내겐 터무니없게만 느껴졌지. 실제 삶에 대해선 조금도 알지 못하는 사제가 만들어냈을 법한 그런 종류의 죄라고 생각한 거야. "슬픔은 우릴 다시 신과 결합하게 한다"고 했던 단테가 멜랑콜리에 매혹된 사람들에게 어찌 그리 가혹할 수 있었는지도 이해할 수 없었어. 그런 이들이 진짜 있었다면 말이지. 언젠가 이 멜랑콜리가 내 삶의 가장 큰 유혹 중 하나가 되리라는 건 생각도 못 한 거야.
   원즈워스 감옥에 있는 동안 난 죽음을 갈망했어. 내가 유일하게 바라는 거였지. 의무실에서 두 달을 보내고 감방으로 이송되고 나서 육체적으로 차츰 건강해지는 날 발견했을 땐 마음이 분노로 채워졌어. 난 감옥을 나가는 그날 바로 자살하겠다 결심했지. 잠시 뒤 악한 기분이 사라져 살기로 마음먹었는데, 대신 왕이 자주색 옷을 입듯 우울을 입

---

3 『신곡』 '지옥' 편 제7곡 중 일부다.

기로 했어. 다시는 웃지 않고, 내가 들어간 집이란 집은 모두 상가喪家로 만들고, 친구들을 나와 함께 슬픔에 잠긴 채 천천히 걷게 하고, 그들에게 멜랑콜리야말로 삶의 진짜 비밀임을 가르치고, 그들 것이 아닌 슬픔으로 그들을 불구로 만들고, 나만의 고통으로 그들을 망치겠다 결심했지. 이젠 생각이 완전히 달라졌어. 친구들이 날 보러 왔을 때 동정심을 표하기 위해 나보다 더 얼굴을 찌푸려야 할 정도로 찌푸린 얼굴을 하고 있는 건 배은망덕하고 불친절한 짓이란 걸 알지. 즐겁게 해준답시고 초대해놓곤 쓰디쓴 허브와 장례 식용 구운 고기 곁에 조용히 앉혀놓는 짓도 마찬가지. 나는 밝고 행복해지는 법을 배워야만 해.

최근 두 번의 면회 허가 때, 날 만나러 시내에서 이 먼 데까지 와준 친구들의 수고에 조금이나마 보답하기 위해 난 최대한 쾌활하게 보이려 노력했어. 나도 알아. 하찮은 보답일 뿐이란 걸. 하지만 친구들을 가장 기쁘게 했을 일이란 것도 확신해. 지난 토요일엔 한 시간 동안 R[4]을 만났는데, 만나는 동안 내가 실제로 느꼈던 기쁨을 내가 할 수 있

---

4  절친한 친구 로버트 로스(Robert Baldwin Ross, 1869~1918. 영국의 언론인, 미술 평론가)를 가리킨다. - 옮긴이

는 최대로 표현하려 애썼어. 그리고 난 내가 이곳에서 세운 관점과 생각이 옳다는 걸 알게 됐지. 수감 이후 처음으로 삶에 대한 진정한 열망이 생겨서였어.

앞으로 해야 할 일이 내겐 너무나 많은데, 그중 조금 정도나마 완수하지 못하고 죽는다면 끔찍한 비극일 거야. 나는 예술과 삶의 새로운 발전을 보고 있어. 그 각각의 발전은 새로운 완성의 방식이지. 나는 살길 바라. 내겐 새로운 세계와 다름없는 그 세계를 탐험할 수 있도록 말이야. 이 새로운 세계가 무언지 알고 싶어? 너도 짐작은 하리라 생각해. 그건 내가 살아온 바로 그 세계야. 슬픔, 그리고 그것이 가르쳐준 모든 것, 그게 내 새로운 세계지.

나는 여태 오로지 쾌락만을 좇아 살았어. 고통과 슬픔은 어떤 것이든 죄다 피했지. 둘 다 미워했어. 할 수 있는 한 그것들을 무시하리라, 정확히는 그것들을 불완전함의 양태로 여기리라 다짐했지. 그것들은 내 삶의 계획에 자리가 없었어. 내 철학에도 들어설 자리가 없었지. 삶을 총체적으로 알고 계셨던 어머니는 오래전 칼라일[5]이 선물한 그

---

5  토머스 칼라일(Thomas Carlyle, 1795~1881) 영국의 비평가, 역사가. 독일 문학, 특히 괴테의 문학을 좋아했고, 1824년엔 다음 인용 구절이 담긴 『빌헬름 마이스터의 수업시대』를 번역, 출판했다.

의 저서에서 가져온, 내 생각에 번역도 칼라일이 했을 괴테의 구절을 종종 말씀해주셨어.

    슬픔 속에서 빵을 먹어보지 않은 자,
    한밤을 눈물로 보내며
    내일을 기다려보지 않은 자,
    그는 당신을 모르리, 당신 천상의 권능을.

나폴레옹이 그토록 가혹한 잔혹함으로 짓밟은 프로이센의 고귀한 왕비[6]가 굴욕과 유배 속에서 되뇌곤 했던 구절이야. 내 어머니가 말년의 고난 속에서 자주 인용하신 구절이기도 하지. 나는 저 구절 안에 숨겨진 어마어마한 진실을 인정하거나 받아들이는 걸 전적으로 거부했어. 이해할 수가 없었지. 슬픔 속에서 빵을 먹고 싶지 않다고, 더욱 쓰라린 새벽을 기다리며 눈물로 밤을 보내고 싶지 않다고 어머니께 말하곤 했던 게 또렷이 기억나.

그 구절이 날 위해 운명이 준비해둔 특별한 것 중 하나

---

6  프리드리히 빌헬름 3세의 왕비인 메클렌부르크슈트렐리츠의 루이제(Luise zu Mecklenburg-Strelitz, 1776~1810)를 말한다.

임을 그땐 몰랐어. 내 인생 중 일 년 내내, 정말로 그 외엔 달리 할 일이 없게 되리란 걸 알지 못했지. 하지만 그렇게 내 몫이 할당됐고, 지난 몇 달간 끔찍한 어려움과 투쟁의 시기를 거친 끝에 난 고통의 심장부에 숨겨진 교훈을 이해하게 됐어. 통찰 없이 글귀를 인용하는 사람들이나 성직자는 때때로 고통을 신비로운 것이라 말하지. 고통은 실제로 하나의 계시야. 전엔 결코 알 수 없던 걸 분명히 알게 하지. 역사 전체를 다른 관점에서 접근하게 하고. 본능을 통해 희미하게만 느꼈던 예술을, 완벽하게 명료한 통찰력과 절대적으로 강렬한 이해력을 통해 지적, 정서적으로 깨닫게 되는 거야.

이제 난 인간이 느낄 수 있는 최고의 감정인 슬픔이야말로 모든 위대한 예술의 전형이자 시금석임을 알아. 예술가가 항상 찾아 헤매는 건 영혼과 육체가 하나인, 분리되지 않는 존재 양식이야. 그 양식 안에서 외면은 내면을 표현하지. 형태는 내용을 드러내고. 이런 존재 양식이 드문 건 아냐. 젊음과 젊음에 몰두하는 예술이 어느 순간 그 본보기가 되어주지. 다르게는, 현대 풍경화가 그 미묘함과 인상에 대한 예민함으로, 외부 사물에 깃들어 살며 땅과 공기와 안개와 도시 모두를 옷으로 삼는 영혼에 대한 암시로, 분위기와 색조와 색채에 대한 병적 동정으로 그리스인들이 조형적 완벽함으로 구현한 것과 같은 걸 그림으로 보여준다고 생각할 수도 있어. 모든 주제가 표현에 녹아들어 떼려야 떼어 낼 수 없는 음악은 내가 말하는 것의 복잡한 예고, 꽃이나 아이는 단순한 예야. 하지만 슬픔이야말로 인생과 예술 모두에서 궁극적인 전형이지.

환희와 웃음 뒤에는 거칠고 가혹하고 냉담한 기질이 있을 수 있어. 하지만 슬픔 뒤엔 늘 슬픔만이 있을 뿐이야. 즐거움과 달리 고통은 가면을 쓰지 않거든. 예술에서 진리는 본질적 관념과 우연적 존재 사이의 조응이 아니야. 형체와 그림자의 유사함이나 크리스털에 비친 형태와 형상 그 자체의 유사함도 아니지. 텅 빈 언덕에서 들려오는 메아리도 아니고, 달을 달에게, 나르시소스를 나르시소스에게 비추는 계곡의 은빛 샘도 아니야. 예술에서 진리는 사물 그 자체와 하나가 되는 것, 제시된 외면이 내면을 표현하는 것, 영혼이 육화되는 것, 육체적 본능이 정신과 하나가 되는 거야. 그렇기에 슬픔에 견줄 만한 진실은 없어. 슬픔만이 유일한 진실인 듯 보일 때도 있지. 다른 것들은 우리 눈을 멀게 하는 시선이나 우릴 진절머리나게 만드는 욕망의 환영일 수 있어. 하지만 세상은 슬픔에서 빚어졌고, 아이나 별의 탄생에도 고통은 존재하지.

De Profundis, 1905 [7]

7 이 글은 동명의 책 중 일부다.

오스카 와일드

# 세 방문객

시마자키 도손

'겨울'이 방문했다.

내가 고대하던 겨울은 솔직히 말하면 더 광택 없이 게슴츠레하고, 더 스산하며 궁핍하고, 더 추하고 주름투성이인 노파였다. 나는 그 얼굴을 뚫어지게 바라보곤, 내 선입견이 만든 상상으로 그렸던 것과 너무 달라 놀라고 말았다. 나는 물었다.

"자네가 정말 '겨울'인가?"

"그렇게 말하는 자넨 도대체 날 어떻게 생각한 건가. 날 그렇게 과소평가하고 있었나!"

'겨울'이 답했다. 그러고는 손으로 여러 나무를 가리켜 보이며, "저 철쭉을 보게" 하고 말했다. 보니, 서리 맞은 잎은 지고 없었지만, 가늘고 어린 갈색빛 가지 하나하나에는 이미 새 눈이 나와 수분을 머금은 채 빛나는 겨울의 불꽃을 피우고 있었다. 철쭉만 그런 게 아니었다. 매화의 짙은 녹색을 띤 어린 가지 몇 개는 한 척[1]이나 자라 있었다. 진달래는 잔뜩 웅크리고는 있었지만 조금도 추워 보이지 않았다. '겨울'은 이번엔 "저 동백도 보게" 하고 말했다. 보니, 햇빛을 받아 빛나는 형언할 수 없이 찬란한 잎들 사이사이로 커다란 봉오리가 얼굴을 내밀고 있었다. 깊은 미소를 품은 듯한 꽃 중엔 서리도 내리기 전 이미 시든 것도 있었다. '겨울'은 손을 옮겨 팔손이나무도 가리켜 보였다. 그 끝에는 연둣빛을 띤 흰 꽃이 있었는데, 힘찬 꽃 모양이 주위의 단조로움을 부수고 있는 듯 보였다.

나는 삼 년 동안 타지의 여관에서 어두운 겨울을 보냈다. 찬비라도 내려 장지문이 어둑한 날에는 종종 파리에서 보낸 그 겨울이 떠오른다. 파리는 일 년 중 가장 해가 짧다는 동지 전후엔 아침 아홉 시 즈음에 날이 밝아 오후 세 시

---

[1] 길이를 나타내는 단위로 1척은 30.3센티미터다. – 옮긴이

반이면 벌써 어둑해진다. 그런 파리의 거리를 걷노라면 굳이 북극의 끝을 상상하지 않더라도 보들레르 시에 나오는 적열赤熱에 타오른 나머지 얼어붙은 태양[2]을 자주 볼 수 있었다. 시들시들한 마로니에 가로수 사이 겨울에도 시들지 않는 싱싱한 풀밭은 특별한 겨울 풍광이었지만, 샤반[3]의 고요한 회색이야말로 그곳 자연에 걸맞은 색조였다.

오랜만에 도쿄 교외에 틀어박혀 겨울을 났다. 파리에서의 삼 년 동안 한낮 햇볕이 실내에 충만한 겨울 따윈 없었다. 탁 트인 푸른 하늘을 볼 일도 거의 없었다. 그때 내게 다가와 속삭인 건 무사시노[4]의 '겨울'이었다. '겨울'은 매년 나를 찾아왔지만, 이곳 아소[5]에서 겨울을 지내면서부터 나는 이 방문객을 다시 보게 됐다.

옛 '겨울'을 떠올려본다. 내가 만났던 가장 익숙한 '겨

---

2 「가을의 노래」에 이런 구절이 있다. "그리하여, 내 심장 북극 지옥의 태양인 양, / 한갓 얼어붙은 덩어리 되어지리." 김붕구 선생이 번역한 『악의 꽃』(민음사, 1999)에서 가져왔다.

3 피에르 퓌뷔 드 샤반(Pierre Puvis de Chavannes, 1824~1898) 벽화를 주로 그린 프랑스 화가.

4 도쿄도에서 사이타마현에 걸친 대지를 가리킨다. - 옮긴이

5 도쿄도와 사이타마현 사이로 행정구역상 가나가와현의 가와사키시에 해당한다. - 옮긴이

울'은 시나노[6]의 '겨울'이다. 그곳에서 난 매년 오 개월이라는 긴 시간을 '겨울'과 동침했다. 그럼에도, 그 산 위에서는 모든 것이 숨어버리기에 나는 한 번도 '겨울'의 환한 얼굴을 본 적이 없다. 그곳에서는 십일월 초면 온 산에 첫눈이 내렸다. 그리고 어둑하고 쓸쓸한 하늘에서 해를 볼 일도 드물어질 무렵이면 아사마산[7]의 산안개마저 어딘가로 숨어 보이지 않았다. 심지어는 지쿠마강[8]의 흐름조차 얼음에 갇혀버렸다. 사위는 온통 깊게 쌓인 눈이 펼쳐져 있을 뿐이었다. 낡은 집의 정원도 눈에 묻혀버렸다. 가끔은 북쪽 툇마루보다 정원에 쌓인 눈이 더 높을 정도였다. 처마에 달린 검劍 같은 고드름은 길이가 두세 척에 달했다. 길고 추운 밤에는 방 기둥이 얼어 갈라지는 소리를 들으며 그저 구멍에 숨은 벌레처럼 웅크리고 지냈다.

    이 경험이 '겨울'에 대한 나의 선입관을 만들었다. 그 산 위에서 난 일곱 번이나 '겨울'을 맞이했다. 내 눈에 비친

---

6  현재의 나가노현을 말한다. - 옮긴이

7  나가노현과 군마현 경계에 있는 안산암질의 성층화산으로 활화산으로 알려져 있다. - 옮긴이

8  나가노현과 야마나시현, 사이타마현을 흐르는 하천으로 시나노강이라고도 부르며 일본에서 가장 긴 강이다. - 옮긴이

그 '겨울'들은 그저 회색이었다. 그만큼 눈이 많지는 않았지만, 파리에서 만난 '겨울'도 색조 면에서는 시나노에 지지 않을 만큼 회색이었다. 삼 년 전, 긴 여행에서 돌아와 나를 방문한 '겨울'의 얼굴을 오랜만에 마주했을 때, 그게 '겨울'일 거라고는 꿈에도 생각지 못한 건 그래서였다.

긴 여행 후 세 번째 '겨울'을 맞이한 해에는 한 번도 상록수의 어린잎을 찬찬히 들여다보지 않았다. 서리 맞아 떨어지는 노란 단풍 쪽에 마음을 빼앗겨 초겨울 어린 상록수 잎 따위는 전혀 신경 쓰지 않았다. 초겨울 어린잎은 일 년을 통틀어 나무의 세계를 엿볼 수 있는 가장 고운 광경 중 하나인데도 말이다. '겨울'은 그해에도 향나무나 붉은 열매를 늘어뜨린 백량금 따위를 손으로 가리켜 보였다. 백량금 열매 중엔 하얀 것도 있었는데, 농밀한 구슬 같은 그런 광택은 겨울에만 볼 수 있는 것이었다. '겨울'은 "저 상수리나무를 보게" 하며 손을 옮겼다. 거무스름하고 단단한 줄기와 가늘지만 씩씩함을 잃지 않은 가지는 마치 고딕풍 건물을 보는 듯한 착각이 들게 했다. 심지어 겨울 햇빛을 받은 어린잎은 이루 형언할 수 없는 그윽한 정기마저 품고 있었다.

'겨울'이 말했다.

"자네는 아직도 나를 그리 과소평가하고 있는가. 올해

는 자네의 자그마한 딸에게 줄 선물까지 가져왔는데 말이지. 아이의 사과같이 붉은 뺨도 그중 하나라네."

'가난'이 방문했다.

소꿉친구 같은 얼굴을 한 이 방문객은 또다시 친한 척을 하며 왔다. 사실대로 말하자면, 나는 뻔질나게 드나드는 이 손님의 얼굴을 볼 때마다 '겨울'보다 더 추하다고 생각했다. 마치 '자네랑은 오랜 친구야'라는 듯한 그 얼굴을 보는 것만으로 머리가 숙어져 도저히 마주 볼 수가 없었다. 그런데 이번에 찾아온 방문객의 얼굴을 자세히 들여다보고 있자니 지금껏 보지 못한 다정한 미소를 띠고 있는 게 아닌가. 나는 예전에 '겨울'에게 했듯 물어보지 않을 수 없었다.

"자네가 '가난'인가?"

가난이 답했다.

"그렇게 말하는 자넨 날 누구라고 생각하는가. 그렇게 오랫동안 나를 몰랐단 말인가?"

"그간 없던 일이어서 그러네. 이제껏 자네의 웃는 얼굴을 본 적이 없거든. 자네에게 그런 면이 있는 줄은 상상도 해본 적이 없지. 난 자네가 웃을 수 없다고만 생각해왔지 뭔가. 자네가 그렇게 웃으니 몸이 쭈그러드는 것처럼 짜증이 나는군. 그렇긴 해도 자네가 내 옆에 친구로 있어준다면 안심이 될 걸세."

내가 이렇게 말하자 '가난'은 여전히 미소 띤 얼굴로 답했다.

"우린 친구가 아냐. 그리고 날 좀 더 존경해줬으면 해. 내 앞에 '청'을 붙여 나를 '청빈'이라 부르는 사람도 있는데, 사실 난 그런 냉담한 녀석이 아니야. 난 걸어온 내 발자국에 꽃을 피울 수도 있어. 내 집을 궁전으로 바꿀 수도 있지. 말하자면 난 마술사야. 이래 봬도 난 세상이 말하는 소위 '부' 따위보단 훨씬 더 큰 꿈을 꾸고 있다고."


'늙음'이 방문했다.

이것이야말로 내가 '가난'보다 더 추하게 여겨온 것이었다. 그런데 신기하게도 '늙음' 또한 내게 미소를 지어 보이는 게 아닌가. 나는 '가난'에 그랬던 것처럼 "자네가 '늙음'인가?" 물어볼 수밖에 없었다. 하지만 그 얼굴을 자세히 들여다보니, 이 손님은 지금까지 마음속에 그려온 진정한 '늙음'이 아니라 '왜소'였다. 늙음보다 더 번들거리고 더 닳고 닳은.

그러나 이 방문객은 나를 찾아온 지 얼마 안 됐다. 이야기를 더 나눠봐야 진짜 정체를 알 수 있을 듯하다. 그저 '늙음'의 미소 정도만 보았을 뿐이다. 나는 어떻게든 이 손님에 대해 알고 싶다. 그리고 진정한 '늙음'을 만나고 싶다.

방문해야 할 다른 누군가가 오지 않은 것 같다. 미지의 그 손님은 아직 대문 밖에서 서성이고 있는 것일까? 나는 그 손님의 정체가 '죽음'이라는 걸 감지한다. 이제껏 만난 세 방문객이 내 선입견이 만든 상상이 잘못된 것이었음을 알려줬듯, '죽음' 또한 내가 예상치도 못한 무언가를 가르쳐줄지…….

三人の訪問者, 1919

작가 소개

## F. 스콧 피츠제럴드 Francis Scott Fitzgerald, 1896~1940

"나는 내 삶을 살고 싶다. 그래서 나의 밤은 후회로 가득하다."

미국의 소설가. 1920년대 무너져 가는 미국의 현실 속 무절제하고 환멸적인 삶을 그린 작품을 주로 썼으며, 어니스트 헤밍웨이, 윌리엄 포크너와 함께 '잃어버린 세대'의 핵심 작가로 평가받는다. 위대한 미국 소설의 대표적 작품 중 하나인 『위대한 개츠비』는 영미 문학계에서 20세기 최고 소설로 손꼽힌다. 대표작으로 『낙원의 이쪽』, 『아름답고 저주받은 사람들』, 『밤은 부드러워』 등이 있다.

## 나쓰메 소세키 夏目漱石, 1867~1916

"무사태평하게 보이는 사람도 마음속 깊은 곳을 두드려보면
어딘가에서 슬픈 소리가 난다."

일본의 소설가, 시인, 산문가, 평론가, 영문학자. 소설, 산문, 하이쿠, 한시 등 여러 장르에 걸쳐 다양한 작품을 남겼으며, 일본 문학계에서 메이지 시대 대문호로 평가받는다. 대표작으로 『도련님』, 『나는 고양이로소이다』, 『마음』 등이 있다.

데라다 도라히코 寺田寅彦, 1878~1935

"죽은 나를 타인의 마음속에 되살리고자 하는 욕망이 없어진다면, 세상 예술의 절반 이상이 사라질지 모른다."

일본의 물리학자, 산문가. 물리학자 다마루 다쿠로와 소설가 나쓰메 소세키를 평생의 스승으로 삼아 연구하고 썼으며, 과학적 지식과 사유를 문학적 감성과 상상력에 접목한 작품으로 일본 산문계에 신선한 충격을 준 작가로 평가받는다. 대표작으로 『자금우집』과 요시무라 후유히코吉村冬彦라는 필명으로 펴낸 『후유히코집』 등이 있다.

맥스 비어봄 Sir Henry Maximilian Beerbohm, 1872~1956

"이 세상을 살았던 사람 중 웃음 때문에 죽은 이는 한 명도 없다."

영국의 풍자화 및 풍자만화가, 산문가, 소설가, 연극 및 드라마 평론가. 악의를 담지 않고도 정곡을 찌르는 유머러스한 작품으로 타의 추종을 불허하는 풍자화가 및 영국 만화가 중 가장 위대한 만화가라는 평가를 얻은 한편, 조지 버나드 쇼, 버트런드 러셀, 버지니아 울프, E. M. 포스터 등 당대 최고 작가들의 열렬한 지지를 받았다. 대표작으로 화집 『스물다섯 신사의 풍자화』, 산문집 『맥스 비어봄 작품집』, 장편소설 『쥴리카 돕슨 또는 옥스퍼드 사랑 이야기』, 소설집 『일곱 사람』 등이 있다.

## 버지니아 울프 Virginia Woolf, 1882~1941

"나는 그저 다른 무엇이 아닌 나 자신이 되는 것이
훨씬 중요한 일이라고 간단하게 그리고 평범하게 중얼거릴 뿐이다."

영국의 소설가, 산문가. 의식의 흐름이라는 독특한 서술 기법으로 독창적인 소설 세계를 구축한 모더니즘의 선구자이자 『자기만의 방』 등으로 20세기 페미니즘 운동의 선구 역할을 한 작가다. 대표작으로 『댈러웨이 부인』, 『등대로』, 『세월』 등이 있다.

## 스튜어트 화이트 Stewart Edward White, 1873~1946

"죽음은 탄생보다 훨씬 단순하다. 그것은 단지 연속일 뿐,
탄생은 신비이지 죽음이 아니다."

미국의 소설가, 산문가. 사라져가는 야생의 삶을 경험을 바탕으로 그려낸 여행 및 모험 소설과 산문을 주로 썼으며, 사후 출간된 『앤디 버넷의 모험담』은 TV 시리즈로 방영되기도 했다. 대표작으로 『빛나는 길』, 『방해받지 않는 우주』, 『기러기의 부름』 등이 있다.

## 시마자키 도손 島崎藤村, 1872~1943

"더는 살고 싶지 않다는 생각이 들더라도
살아가는 일만은 계속해야 한다."

일본의 시인, 소설가. 본명은 시마자키 하루키島崎春樹로 메이지 유신 당

시 낡은 가치관과 새로운 가치관의 충돌로 인해 발생한 혼란을 그린 작품들을 주로 쓴, 일본을 대표하는 낭만주의 시인이자 자연주의 작가다. 대표작으로 시집 『봄나물집』, 『일엽편주』, 『낙매집』과 소설 『동트기 전』, 산문집 『파계』 등이 있다.

알베르 카뮈 Albert Camus, 1913~1960

"삶의 의미를 찾아 헤맨다면 당신은 절대 삶을 살지 못할 것이다."

알제리에서 태어난 프랑스의 철학자, 소설가, 극작가, 언론인. 실존주의 철학과 문학의 창시자이자 완성자 중 한 명이며, '부조리 문학'의 창시자이자 완성자다. 프랑스에서 볼테르 이후 가장 영향력 있는 지식인으로 평가받으며, 1957년 『이방인』으로 노벨문학상을 받았다. 대표작으로 『페스트』, 『전락』, 『최초의 인간』과 철학 에세이 『시지프의 신화』 등이 있다.

어니스트 헤밍웨이 Ernest Hemingway, 1899~1961

"글을 쓴다는 건 별것 아니지.
그냥 타자기 앞에 앉아 피를 흘리면 된다네."

미국의 소설가, 종군기자. F. 스콧 피츠제럴드, 윌리엄 포크너와 함께 '잃어버린 세대'의 핵심 작가로 평가받는다. 미국 현대 문학의 개척자이자 포크너와 함께 20세기 최고의 미국 작가로 인정받으며 『노인과 바다』로 퓰리처상(1953)과 노벨문학상(1954)을 받았다. 대표작으로 『태양은 다시 떠오른다』, 『무기여 잘 있거라』, 『누구를 위하여 종은 울리나』 등이 있다.

## 오스카 와일드 Oscar Fingal O'Flahertie Wills Wilde, 1854~1900

"예술이 삶을 모방하는 게 아니라 삶이 예술을 모방한다."

아일랜드에서 태어난 영국의 시인, 소설가, 극작가, 동화작가, 산문가. 예술에 대해서는 극단적 유미주의자, 사회에 대해서는 언어유희와 유머를 통해 날카로운 비판을 가한 풍자가로 빅토리아 시대 영국에서 가장 성공한 작가로 평가받는다. 여러 장르의 작품을 두루 썼는데, 그의 각 장르 대표작들은 모두 20세기를 대표하는 작품으로 손꼽힌다. 대표작으로 시집 『시집』, 소설 『도리언 그레이의 초상』, 희곡 『살로메』, 동화집 『행복한 왕자와 다른 이야기들』, 산문집 『심연으로부터』 등이 있다.

## 윌리엄 포크너 William Cuthbert Faulkner, 1897~1962

"삶은 죽음을 준비하는 오랜 과정이다."

미국의 소설가, 시인, 평론가, 시나리오 작가. 어니스트 헤밍웨이, F. 스콧 피츠제럴드와 함께 '잃어버린 세대'의 핵심 작가로 평가받는다. 20세기 가장 영향력 있는 미국인으로 선정된 바 있으며, 1949년 『소리와 분노』로 노벨문학상을 받았고 1955년 『어릿광대 이야기』로, 1963년 『강도』로 퓰리처상을 받았다. 대표작으로 『내가 죽어 누워 있을 때』, 『팔월의 빛』, 『압살롬, 압살롬!』 등이 있다.

## 장 자크 루소 Jean-Jacques Rousseau, 1712~1778

"고독보다 벗 삼기에 족한 벗은 없다."

스위스 제네바 공화국에서 태어난 프랑스의 철학자, 교육학자, 소설가, 산문가, 음악가. 이성이 감성을, 진보가 역사를 오히려 퇴보시켰다고 주장, 계몽주의를 비판한 계몽주의자로 불리는 한편 계몽의 시대 가장 독창적인 사상가로, 문학 및 예술 측면에선 낭만주의를 탄생시킨 작가로 평가받는다. 대표작으로 『신 엘로이즈』, 『에밀』, 『사회계약론』, 『고백록』, 『고독한 산책자의 몽상』 등이 있다.

---
### 조지 기싱 George Robert Gissing, 1857~1903
---

"나는 죽을 때까지 읽을 것이다. 그리고 잊어버릴 것이다."

영국의 소설가. 런던 빈민층의 비참한 삶을 사실주의적으로 그린 영국의 대표적 자연주의 작가로 『헨리 라이크로프트의 수기』는 영문학사상 가장 아름다운 산문으로 손꼽히며, 조지 오웰에겐 영국이 배출한 최고의 소설가라는 평가를 받기도 했다. 대표작으로 소설 『군중』, 『어둠의 세계』, 『신 삼류문인의 거리』, 『짝없는 여자들』 등이 있다.

---
### 조지 오웰 George Orwell, 1903~1950
---

"삶의 목적이 행복이라 생각하지 않아야만 우린 행복해질 수 있다."

인도에서 태어난 영국의 소설가, 시인, 평론가, 언론인. 본명은 에릭 아서 블레어Eric Arthur Blair다. 필립 라킨에 이어 가장 위대한 영국 작가, 셰익스피어와 제인 오스틴에 이어 지난 천년 간 가장 위대한 작가에 선정된 바 있으며, 20세기 최고의 영향력 있는 작가로 평가받는다. 대표작으로 『동물농장』, 『1984』, 『카탈로니아 찬가』 등이 있다.

## 찰스 디킨스 Charles Dickens, 1812~1870

> "나는 구부러지고 갈라졌다. 하지만 그럼으로써
> 내가 보다 나은 형태가 되었길 바란다."

영국의 작가, 사회 비평가. 가난하고 소외된 이들의 삶에 대한 애정과 관심이 담긴 체험적 작품을 많이 썼으며, 빅토리아 시대를 대표하는 영국 작가로 평가받는다. 대표작으로 『올리버 트위스트』, 『데이비드 코퍼필드』, 『위대한 유산』, 『크리스마스 캐럴』, 『두 도시 이야기』 등이 있다.

## 페르난두 페소아 Fernando António Nogueira Pessoa, 1888~1935

> "여행은 여행자다. 보는 것은 보는 것이라기보다 우리 자신이다."

포르투갈의 시인, 문학 평론가, 번역가, 철학가, 산문가. 확인된 필명만 75개가 넘을 정도로 기이한 문학적 삶을 살아서인지, 포르투갈어와 영어, 프랑스어 등 다양한 언어로 시, 소설, 희곡, 평론, 산문 등 다양한 장르의 글을 쓰며 작품마다 다른 문체를 구사해서인지 생전엔 거의 주목받지 못했으나 현재는 20세기 문학에서 가장 중요한 작가이자 포르투갈 최고의 시인, 철학자로 인정받는다. 대표작으로 시집 『메시지』와 단순한 책이 아니라 혁명이고 부정이며, 문학 이상이란 평가를 받는 산문집 『불안의 서』가 있다.

## 프란츠 카프카 Franz Kafka, 1883~1924

> "나는 문학에 관심이 있는 게 아니라 문학으로 만들어져 있으며,

다른 그 무엇도 아니고 다른 그 무엇도 될 수 없다."

오스트리아-헝가리 제국의 유대계 소설가. 삶의 불확실성과 인간 존재의 근원적 불안을 억압과 소외를 중심으로 그려낸 작품들로 20세기를 만든 작가로 평가받는 한편, 현대 '실존주의 문학의 선구자'로 인정받는다. 장 폴 사르트르, 가브리엘 가르시아 마르케스, 밀란 쿤데라, 무라카미 하루키 등이 그의 영향을 받았음을 밝혔을 정도로 수많은 후대 작가들에게 영향을 준 '작가의 작가'이기도 하다. 대표작으로 「선고」, 「변신」, 「유형지에서」 등의 중·단편소설과 장편소설 『실종자』, 『소송』, 『성』 등이 있다.

### 헤르만 헤세 Hermann Karl Hesse, 1877~1962

"삶의 의미와 진실은 우리가 모르는 어딘가에 숨겨져 있지 않다."

독일에서 태어난 스위스의 시인, 소설가, 화가. 인간 내면을 신비주의적 색깔로 그려내면서도 그 안에 심오한 철학적 성찰을 함께 담은 작품을 주로 썼으며, 1946년 『유리알 유희』로 노벨문학상을 받았다. 대표작으로 『수레바퀴 아래』, 『데미안』, 『싯다르타』, 『황야의 이리』, 『나르시스와 골드문트』 등이 있다.

### 헨리 데이비드 소로 Henry David Thoreau, 1817~1862

"아름다움은 그것을 볼 수 있는 사람에게는
세상 어디에나 존재한다."

미국의 철학자, 시인, 산문가. 미국 생태주의 문학의 효시이자 미국 초월

주의 철학의 효시, 그리고 랠프 월도 에머슨, 너새니얼 호손, 허먼 멜빌, 월트 휘트먼과 함께 미국 문학의 황금기를 일컫는 '미국 르네상스의 효시'로 인정받는 사상가이자 작가다. 대표작으로『월든: 또는 숲속 생활』과『시민 불복종』등이 있다.

## 원문 출처

Albert Camus, Les Amandiers, *L'Été*, Gallimard, 1954.
Charles Dickens, Night Walks, *All the Year Round*, J. M. Emerson & co., 1860. 7. 21.
Ernest Hemingway, People of the Seine, *A Moveable Feast*, Charles Scribner's Sons, 1964.
F. Scott Fitzgerald, Sleeping and Waking, *Esquire*, Esquire Publishing Co., 1934. 12.
Fernando Pessoa, Livro do Desassossego 83, *Livro do Desassossego*, Ática, 1982.
Franz Kafka, *Tagebücher*, Paul Zsolnay Verlag, 1928.
George Gissing, Spring 20, *The Private Papers of Henry Ryecroft*, Archibald & Co., Ltd., 1903.
George Gissing, Summer 11, *The Private Papers of Henry Ryecroft*, Archibald & Co., Ltd., 1903.
George Orwell, Why I Write, *Gangrel*, No. 4, Summer, 1946.
Henry David Thoreau, Death of a Pine Tree, *The Heart of Thoreau's Journals*, Ticknor & Fields, 1854.
Henry David Thoreau, Night and Moonlight, *The Atlantic Monthly*, Volume 12, Issue 72, Ticknor & Fields, 1863. 11.
Hermann Hesse, Schlaflose Nächte, *Stuttgarter Morgenpost*, 1905. 7. 4.
Jean-Jacques Rousseau, Seconde Promenade, *Rêveries du promeneur solitaire*, Genève, 1782.
Max Beerbohm, Going out for a Walk, *And Even Now*, William

Heinemann, 1920.

Oscar Wilde, De Profundis, *De Profundis*, Methuen and Co., 1905.

Stewart Edward White, On Lying Awake at Night, *The Forest*, McClure, Phillips & Company, 1903.

Virginia Woolf, Death of the Moth, *The Death Of The Moth And Other Essays*, Harcourt, Brace & Company, 1942.

Virginia Woolf, Street Haunting: a London Adventure, *The Yale Review*, Volume 17, Issue 1, Yale University Press, 1927. 10.

Virginia Woolf, Professions for Women, *The Death Of The Moth And Other Essays*, Harcourt, Brace & Company, 1942.

William Faulkner, Foreword, *The Faulkner Reader*, Random House, 1954.

島崎藤村,「三人の訪問者」,《開拓者》, 1919. 1.

寺田寅彦,「どんぐり」,《ホトトギス》,合資会社ホトトギス社, 1905. 4.

夏目漱石,「猫の墓」,《朝日新聞》, 1909. 1. 14.～3. 14.

인생 산책자를 위한 밤과낮 에디션 1

왜 달빛을 받으며 잠시 걸어보지 않았을까

**초판 1쇄 펴낸날** 2025년 6월 30일

**지은이** 헤르만 헤세 외

**옮긴이** 강문희, 김영글, 정인혜

**펴낸이** 원미연      **기획편집** 이명연

**기획** 최해경      **교정교열** 심은정

**디자인** 김은영      **일러스트** 안소현

**마케팅** 이운섭      **제작** 공간

**펴낸곳** 꽃피는책      **등록번호** 691-94-01371

**전화** 02-858-9917      **팩스** 0505-997-9917

E-mail blossombky@naver.com

Instagram @blossombook_publisher

Facebook blossombookpublisher

이 책은 저작권법에 따라 보호받는 저작물이므로 무단전재와 복제를 금합니다.
이 책의 전부 또는 일부를 이용하려면 반드시 저작권자와 꽃피는책에
서면 동의를 받아야 합니다.